déc 94

À toi Serge
mon petit Serge en or,
Que ce livre de chevet éclaire ta vie
celle de  et plus tard celle de
tes enfants.

Je t'aime Maman

QUAND LE SEIGNEUR PARLE AU CŒUR

Quand le Seigneur parle au cœur

Carnets spirituels inédits du Père Gaston COURTOIS,
Fils de la Charité
recueillis et présentés par Agnès RICHOMME

Douzième édition

MÉDIASPAUL & ÉDITIONS PAULINES

Les Fils de la Charité sont une Congrégation masculine de droit pontifical, fondée en 1918 par le Père Jean-Emile ANIZAN. Son objet est l'évangélisation des classes populaires et pauvres en monde ouvrier, par une pastorale appropriée, dans le cadre de la vie communautaire.

© **Médiaspaul,** 8, rue Madame, 75006 PARIS
ISBN 2-7122-0485-9

Editions Paulines, 3965 est, boul. Henri-Bourassa MONTREAL H1H 1L1
P.Q. CANADA
ISBN 0-88840-452-2

AVANT-PROPOS

On a pu le constater en lisant sa biographie[1], c'est dès son adolescence que le Père Courtois fut attiré par une vie d'intimité avec Dieu.

Au long des années, cet attrait grandit sans cesse et il est assez significatif de remarquer que la somme énorme de travail fournie par cet homme d'action n'a jamais fait tort à ce besoin de prière profonde qui est vraiment l'une de ses marques les plus caractéristiques. Bien au contraire, cette « Vie intérieure », cette « Ecoute du Seigneur », ce « Cœur à cœur avec Jésus », ce « Face au Seigneur »[2] étaient véritablement le moteur de toute son activité pastorale. C'est dans le silence de l'oraison qu'il recevait les idées dont son esprit fourmillait — en même temps que les forces et les moyens de les mettre en œuvre.

Dès longtemps, il avait pris l'habitude d'écrire, comme sous la dictée du Seigneur, dans des carnets dont il avait toujours un exemplaire en poche. Outre tout ce que le Père Courtois a déjà fait passer au monde dans une œuvre abondante et malheureusement

---

1 Un prêtre : Gaston Courtois, (Union des Œuvres, 31 rue de Fleurus à Paris).

2 Ce sont là quelques-uns des titres de ses ouvrages.

épuisée pour une bonne part, on trouve dans ces carnets l'expression de relations plus personnelles avec Celui qui était tout pour lui. Il n'était cependant pas avare de ce qu'il croyait venir de Dieu et le communiquait à l'occasion. Si on lui disait — avec peut-être une pointe d'envie — : «Vous avez de la chance que le Seigneur vous parle ainsi!», il se défendait d'entendre quelque «voix» que ce soit : «J'exprime seulement, dans mon vocabulaire, ce que je crois qu'Il veut me dire», déclarait-il. Et lui-même se posait parfois la question de la valeur d'authenticité de ces notes, témoin celle-ci (datée de 1959 à l'issue d'une retraite) :

De quoi as-tu peur? — De l'illusion? Mais si à l'expérience mes paroles ont le même son que celles qui sont rapportées dans l'Evangile, aident à être plus humble, plus obéissant, plus détaché, plus généreux, plus charitable et plus uni à Moi, qu'a-t-on à craindre? Mes paroles sont ESPRIT et VIE. Elles produisent dans l'âme de bonne volonté ce qu'elles signifient. C'est aux fruits que l'on juge de l'arbre. Pour toi, vis davantage en état de conversation avec Moi. Ce sera la meilleure conclusion de ta retraite. Regarde-Moi. Parle-Moi. Ecoute-Moi avec beaucoup d'amour pour devenir un peu plus Moi. Je me charge du reste. N'as-tu pas la preuve qu'en dix minutes, je peux projeter une lumière que les livres les plus savants n'apportent pas — ou s'ils l'apportent, c'est qu'ils ont été priés avant d'être écrits et qu'ils sont comme le prolongement ou l'écho de ma propre Parole ? Pose-Moi donc des questions. Je te répondrai à ma manière, quand bon me semblera, mais tu auras une réponse et elle sera clarté et force.

C'est quelques années plus tard qu'il mentionne l'éventualité d'une utilisation autre que personnelle, de ces entretiens intimes :

Il te faut saisir les idées que Je mets en toi et les exprimer dans ton vocabulaire au fur et à mesure que Je te les donne. Sinon elles s'évanouiront dans la brume de l'oubli. Si Je les fais jaillir dans ton esprit, c'est d'abord pour toi car elles t'aideront à penser comme Je pense, à voir les choses comme Je les vois, à traduire les signes des temps comme Je veux être compris dans le clair-obscur de la foi. Et puis, il y a tous tes frères et toutes tes sœurs en humanité. Chacun a besoin de la lumière que Je te donne, comme toi-même dois assimiler la lumière que Je reflète par eux dans leurs paroles, dans leurs écrits, dans leur comportement. Tu te serviras de ce que Je t'inspire pour alimenter non seulement tes oraisons, mais ta prédication par la parole ou par la plume. — Contemplata aliis tradere.

« Aux pieds du Maître », c'est le titre général qu'il avait d'abord donné à ces carnets. Dans un des derniers toutefois (1967-1968), il a écrit lui-même sur la page de garde cet autre titre : « Quand le Seigneur parle au cœur... ».

C'est celui qu'on a retenu pour la publication de ces notes, pensant être ainsi plus proche de son intention.

Il était difficile de les regrouper selon un plan déterminé. Chaque « entretien », en effet, abordait bien souvent différents sujets qui se complétaient en se compénétrant. On a cependant essayé, pour en faciliter l'utilisation, de les répartir sous quelques grandes têtes de chapitres.

Il convient d'ajouter que, la matière étant bien trop importante, il a fallu se résoudre à choisir ce qui, comme on sait (et comme il le répétait souvent) « est toujours sacrifier quelque chose »... Il y avait d'ailleurs, au long de toutes ces pages, beaucoup de redites. Peut-être jugera-t-on qu'il en reste encore. Mais si les mêmes idées reviennent en effet constamment — ce qui, après tout, est normal chez un homme dont la vie spirituelle était d'une grande simplicité —, l'expression qui jaillit de ces « colloques » présente une diversité de coloration souvent riche et qui peut être féconde.

Au reste, quand on aime, ne trouve-t-on pas le moyen de le répéter de mille manières, avec pourtant les mêmes mots ? Or, le Père Courtois n'a voulu et cherché que cela : aimer le Seigneur le mieux possible — et travailler de toutes ses forces à le faire aimer.

Puisse ce message posthume poursuivre ainsi ce qui fut l'œuvre de toute sa vie !

Agnès RICHOMME

ÉCOUTE-MOI ET PARLE-MOI

Ecoute. Entends. Recueille. Assimile. Mets en pratique. C'est difficile, je le sais, de M'écouter quand la tête est pleine de bruit. Il faut du silence, il faut du désert. On a horreur de la sécheresse et du vide. Mais si tu es fidèle, si tu persévères, tu le sais, ton Bien-Aimé fera entendre sa voix, ton cœur brûlera et cette ardeur tout intérieure t'apportera la paix et la fécondité. Tu goûteras alors à quel point ton Seigneur *est suave,* à quel point son *fardeau est léger.* Tu éprouveras, au-delà du temps que tu Me consacreras en exclusivité, la réalité du *Dilectus meus mihi et ego illi.*

Plus se multiplieront malgré les obstacles, les répugnances ou les tentations de lâcheté, les moments où tu me recherches et me retrouves pour M'écouter, plus ma réponse se fera sensible, plus mon Esprit t'animera et suggérera non seulement ce que je te demande de dire, mais ce que je t'offre de faire — bien certain alors que ce que tu diras et feras sera fructueux.

Ma Parole et cette lumière qui en est le résultat donnent leur véritable place à toutes choses dans la synthèse de mon immense amour, en fonction de l'éternité, mais sans rien diminuer de la valeur de chaque être et de chaque événement·

Ta mission n'est pas seulement d'essayer de M'insérer dans tout l'humain, mais de me faciliter l'assomption. de tout l'humain pour que Je le consacre à la gloire de mon Père.

Regarde-moi. Parle-Moi. Ecoute-Moi.
Je suis non seulement témoin de vérité, mais la Vérité.
Je suis non seulement canal de vie, mais la Vie elle-même.
Je suis non seulement rayon de lumière, mais la Lumière même.
Qui communie à Moi communie à la Vérité. Qui Me reçoit reçoit la Vie. Qui Me suit avance sur la route de lumière, et la lumière que Je suis grandit en lui.

★

Oui, parle-Moi avec spontanéité de tout ce qui te préoccupe. Je laisse une large marge à ton initiative. Ne crois pas que ce qui te concerne peut me laisser indifférent puisque tu es quelque chose de Moi. L'essentiel pour toi, c'est de ne. pas M'oublier, de t'adresser à Moi avec tout l'amour et toute la confiance dont tu es actuellement capable.

★

Je te parle à l'intime de l'âme, dans ces régions où s'enrichit ta mentalité par communion à la mienne. Il n'est pas nécessaire que tu distingues clairement sur-le-champ ce que Je te dis. Ce qui importe, c'est l'imprégnation de ta pensée par la mienne. Après tu pourras traduire et exprimer.

Il faut les plaindre, ceux qui ne M'entendent jamais et qui se dessèchent lamentablement. Ah ! s'ils venaient à Moi avec une âme de petit enfant ! *Je te rends grâce, ô Père, de ce que tu as caché ces choses aux orgueilleux, et de ce que tu les a révélées aux petits et aux humbles.* Si quelqu'un se sent petit, qu'il vienne à Moi et qu'il boive. Oui, qu'il boive le lait de ma pensée.

Sois davantage aux écoutes. C'est Moi seul qui puis te donner la lumière dont tu as un si pressant besoin. C'est dans ma lumière que ton esprit se fortifiera, que tes pensées se clarifieront, que les solutions des problèmes qui se sont posés apparaîtront.

Je voudrais Me servir de toi de plus en plus. Pour cela, réaxe sans cesse ta volonté vers Moi. Désapproprie-toi de toi-même. Fais-toi une mentalité de membre n'ayant que Moi pour raison de vivre et pour but de vie.

★

Appelle-Moi au secours, doucement, calmement, amoureusement. Ne crois pas que Je sois insensible aux délicatesses de l'affection. Oui, tu M'aimes ; mais prouve-le Moi davantage.

★

Raconte-Moi ta journée. Je la connais, certes, mais J'aime t'entendre Me la narrer, comme la mère aime le babil de son enfant retour de classe. Expose-Moi tes désirs, tes projets, tes ennuis, tes difficultés. Ne suis-je pas capable de t'aider à les surmonter ?

Parle-moi de mon Eglise, des évêques, des confrères, des missions, des religieuses, des vocations, des malades, des pécheurs, des pauvres, des ouvriers ; oui, de cette classe ouvrière qui a trop de vertus pour n'être pas chrétienne, au moins dans l'optatif. N'est-ce pas chez les travailleurs, souvent brimés, souvent écrasés par les soucis et les contretemps que l'on trouve le plus de générosité profonde et le plus d'aptitude à répondre OUI à mes appels, quand ils ne sont pas rendus inaudibles par le contre-témoignage de ceux qui se réclament de mon Nom ?

Parle-moi de tous ceux qui souffrent dans leur esprit, dans leur chair, dans leur cœur, dans leur dignité. Parle-moi de tous ceux qui meurent actuellement ou qui vont mourir en le sachant et qui en sont effrayés, ou au contraire rassérénés, et de tous ceux qui vont mourir et qui ne s'en doutent pas.

Parle-moi de Moi, de ma croissance dans le monde et de ce que J'opère à l'intime des cœurs, de ce que Je réalise aussi au ciel à la gloire de mon Père, de Marie, et de tous les bienheureux.

As-tu des questions à Me poser ? N'hésite pas. Je suis la clef de tous les problèmes. Je ne te donnerai pas la réponse immédiatement, mais si ta question part d'un cœur aimant, la réponse viendra dans les jours qui suivent, soit par une intervention de mon Esprit, soit par les événements.

As-tu des désirs à formuler, pour toi, pour les autres, pour Moi-même ? Ne crains pas de Me demander beaucoup. C'est ainsi que tu hâteras pour une part certaine, si invisible soit-elle, l'heure de l'assomption en Moi de toute l'humanité, et que tu feras monter le niveau d'amour et donc de ma présence dans le cœur des hommes.

Comme pour Marie-Madeleine au matin de Pâques, mon

Cœur t'appelle sans cesse par ton nom, et Je suis aux aguets de ta réponse. Je prononce ton nom tout bas et j'attends ton *ecce adsum*, « me voici », en témoignage de ton attention et de ta disponibilité.

J'ai bien des choses encore à te faire comprendre, et tu n'en sauras qu'une toute partie sur la terre. Mais pour percevoir ces vérités, si limitées soient-elles — il est nécessaire que tu viennes davantage à ma rencontre. Si tu te rendais plus enseignable, Je te parlerais davantage. Etre enseignable, c'est d'abord être humble, se considérer comme un ignorant qui a beaucoup à apprendre. C'est se rendre disponible pour venir aux pieds du Maître et surtout auprès de son Cœur, là où on comprend tout sans qu'il soit besoin de formules. C'est être attentif aux mouvements de la grâce, aux signes de l'Esprit Saint, au souffle ineffable de ma pensée.

Poursuis la conversation avec Moi-même après nos entretiens à la chapelle. Pense que Je suis là près de toi, avec toi, en toi, tout en accomplissant ce que tu as à faire, jette de temps en temps un grand regard d'amour vers Moi. Ce n'est pas cela, tu le sais bien, qui gênera ton activité ou ton apostolat. N'est-ce point dans la mesure où Je serai dans ton esprit que tu verras tes frères avec mon regard et que tu les aimeras avec mon cœur ?

Que ta vie soit incessante conversation avec Moi. On parle beaucoup de dialogue à l'heure actuelle. Pourquoi ne pas dialoguer avec Moi ? Ne suis-je pas là, au centre de toi, épiant les mouvements de ton cœur, attentif à tes pensées, soucieux de l'orientation de tes désirs ? Parle-moi bien simplement — sans faire attention à la construction de tes phrases. Je regarde bien plus ce que tu veux exprimer que les mots employés pour le faire.

Je suis le Verbe. Celui qui est sans cesse silencieusement en état de Parole. Si on voulait bien faire attention, on percevrait ma Voix à travers les choses les plus humbles comme les plus grandes de la nature, à travers les êtres les plus différents, à travers les circonstances les plus quotidiennes. C'est une question de foi, et cette foi, il faut Me la demander pour tes frères humains qui n'en ont jamais reçu le don, ou qui l'ont perdu. C'est surtout une question d'amour. Si on vivait davantage pour Moi que pour soi, on serait attiré par le bruissement léger de ma Voix intérieure et l'intimité pourrait s'établir plus facilement avec ses multiples échanges.

★

Appelle-Moi comme la Lumière qui peut éclairer ton esprit, comme le Feu qui peut enflammer ton cœur, comme la Force qui peut bander tes énergies. Appelle-Moi surtout comme ton Ami qui désire partager avec toi tout ce qui est ta vie, comme ton Sauveur qui souhaite purifier ton âme de son égoïsme, comme ton Dieu qui aspire à t'assumer en Lui dès ici-bas, en attendant ta prise en charge totale dans la lumière de l'Eternité.

Appelle-moi. Aime-moi. Laisse-toi envahir par la certitude d'être aimé passionnément, tel que tu es, avec toutes tes limites et tes misères, pour devenir tel que Je te désire, braise incandescente de charité divine. Alors tu penseras instinctivement à Moi et aux autres plus qu'à toi, tu vivras naturellement pour Moi et pour les autres avant de vivre pour toi, tu choisiras, à l'heure des petites options quotidiennes, pour Moi et pour les autres au lieu de te préférer : tu vivras en communion divine avec Moi et en communion universelle avec les autres... identifié à Moi et en même temps aux autres. Tu Me permettras alors de servir davantage de trait d'union entre mon Père des cieux et mes frères de la terre.

★

Parle-Moi avant de parler de Moi. Parle-Moi en toute simplicité, en toute familiarité — et avec le sourire — *Hilarem datorem diligit Deus.* Ceux qui parlent de Moi sans que ce soit Moi qui parle par eux, que peuvent-ils dire de Moi ? On a de Moi tant d'idées fausses, même parmi les chrétiens, combien plus parmi ceux qui croient ne pas croire en Moi.

Je ne suis pas un tortionnaire, ni un être inexorable. Ah ! si l'on agissait avec Moi comme avec quelqu'un de vivant, de proche et d'aimant ! Je voudrais être l'Ami de tous, mais combien peu me traitent en Ami ! Ils Me jugent et Me condamnent sans me connaître ! Je suis biffé de leur horizon. Je n'existe pratiquement pas pour eux et pourtant Je suis là, ne cessant de les combler de toutes sortes de bienfaits sans qu'ils s'en doutent. Tout ce qu'ils sont, tout ce qu'ils ont, tout ce qu'ils font de bien, c'est à Moi qu'ils le doivent.

Seuls M'entendent ceux qui ont fait en eux le silence.

★

Silence des démons intérieurs qui s'appellent l'orgueil, l'instinct de puissance, l'esprit de domination, l'esprit d'agressivité, l'érotisme sous une forme ou sous une autre qui obscurcit l'esprit et endurcit le cœur.

Silence des préoccupations secondaires, des soucis abusifs, des évasions stériles.

Silence des dispersions inutiles, de la recherche de soi-même, des jugements téméraires.

Mais cela ne suffit pas. Il faut encore désirer que ma pensée pénètre ton esprit et s'impose doucement à ton intellect.

Surtout pas d'impatience, pas de forcing — mais beaucoup de décontraction et de disponibilité, avec la bonne volonté totale de garder ma Parole et de la mettre en œuvre. Elle est semence de vérité, de lumière, de bonheur. Elle est semence d'éternité qui transfigure les choses et les gestes les plus humbles de la terre.

Quand on l'a assimilée, savourée, profondément goûtée, on ne saurait en oublier la valeur et le goût — on en comprend tout le prix et on est prêt à lui sacrifier bien des accessoires qui paraissent nécessaires.

**DEMEURE EN MOI
ET REÇOIS-MOI**

J'accomplis mon œuvre de paix et d'amour dans l'Eglise à travers les âmes d'oraison, souples à mon action.

Oraison : penser à Dieu en l'aimant.
1 - Dialogue des yeux.
2 - Dialogue des cœurs.
3 - Dialogue des désirs
avec chacune des Personnes de la Sainte Trinité.

A - Père

1   a - Coulé en Jésus, Fils du Père éternel, regarder le Père avec disponibilité, action de grâces, amour.

    b - le Père me regarde en son Fils : *Hic est Filius meus dilectus ;* Il voit toutes les âmes liées à la mienne dans la synthèse du plan d'amour, et voit aussi toute ma misère. *Kyrie eleison !*

2   a - Coulé en Jésus, communiant à ses sentiments, j'aime le Père. Je ne dis rien, j'aime. *Abba, Pater ! Laudamus te, propter magnam gloriam tuam.*

    b - Le Père m'aime. Me laisser aimer par le Père. *Ipse prior dilexit nos. Dieu a tellement aimé le monde.*

3 a - Désir du Père, en union avec Jésus : don de la
       santé physique et morale, intellectuelle et aposto-
       lique.

   b - Que voulez-vous que je fasse ? *Veni et vide. Ora
       et labora.* Sois paisible — sois joyeux — sois
       confiant.

B - Fils

1 a - Voir Jésus dans ses mystères.

   b - Il voit ma misère, pauvreté, indigence. *Christe
       eleison.*

2 a - Aimer Jésus, de toute mon âme, de tout mon
       cœur, de toutes mes forces, en union avec Marie.
       les anges et les saints. Amour consolateur, répa-
       rateur.

   b - Me laisser aimer par lui : *Dilexit me et tradidit
       semetipsum pro me.*

3 a - Ce que je désire : Qu'il fasse de moi *alter Christus*
       et *alter minister Christi.*

   b - Laisse-Moi te conduire comme je l'entends : dis-
       ponibilité, souplesse, adhésion.

C - Saint-Esprit

1 a - Contempler tout ce que le Saint-Esprit accomplit,
       donne et pardonne dans le monde. Tout ce qu'il
       purifie, inspire, éclaire, enflamme, fortifie, unit,
       féconde.

b - Montrer ma misère. *Kyrie eleison !* Le supplier d'enlever les obstacles à la réalisation du plan du Père.

2 a - Aimer l'amour. *Ignis ardens.*

b - Me laisser embraser par Lui. *Caritas Dei diffusa est in cordibus nostris per Spiritum Sanctum.*

3 a - Demander le don de l'oraison profonde, de l'étreinte intérieure.

b - Me laisser envahir par Lui. L'appeler. M'offrir. Me remplir.

Il est très utile d'avoir des temps forts où ma présence se fait plus perceptible à ton âme.

La première chose, c'est de Me demander plus intensément de te dépouiller de tout ce qui t'empêche d'écouter, d'entendre, de recueillir, d'assimiler, de mettre en pratique ma Parole. Je suis en effet en toi Celui qui te parle. Mais tu ne peux M'entendre que si tu M'écoutes. Tu ne peux M'écouter que si ton amour est vraiment pur de tout retour sur toi-même et prend les caractéristiques d'un amour oblatif en communion avec le mien.

La deuxième chose, c'est d'être fidèle à Me consacrer en exclusivité des temps forts à l'intime de toi-même, où Je suis et où Je vis d'une présence toujours actuelle, toujours active et sans cesse aimante.

La troisième, c'est de Me sourire davantage. Tu le sais,

j'aime celui qui donne et qui se donne avec le sourire. Souris-Moi. Souris à tous. Souris à tout. Il y a dans le sourire, bien plus que tu ne le crois, la finesse expressive de l'amour véritable à base de don de soi, et plus tu le donnes, plus aussi en retour Je me donne à toi.

Tu n'as pas à vivre seulement face au Seigneur, mais *en* ton Seigneur,. Plus tu agiras en conséquence, t'efforçant de n'avoir d'autres sentiments que les miens, et plus tu prendras conscience de cette merveilleuse symbiose qui par Moi t'unit à la Trinité tout entière, à tous les saints et à tous les membres de mon corps mystique. Tu n'es jamais seul. Ta vie est essentiellement communautaire.

★

Pense, prie, agis en Moi. Moi chez toi, toi chez Moi. Tu le sais, c'est là mon désir d'intimité avec toi. Je me tiens sans cesse à la porte de ton âme et Je frappe. Si tu entends ma voix, et si tu M'ouvres la porte toute grande, alors J'entre chez toi et nous soupons ensemble. Ne t'inquiète pas du menu. J'apporte chaque fois la plus grande part du festin et ma joie, c'est de te voir le savourer pour être plus à même de Me donner à tes frères. Pense à eux en pensant à Moi. Récapitule-les dans ta prière en te donnant à Moi. Assume-les en te laissant absorber par Moi.

Vis avec moi comme avec l'Ami qu'on ne quitte jamais.

Ne me quitte pas de volonté, ne me quitte pas de cœur, essaie de me quitter le moins possible d'esprit.

Fais attention à ma Présence, à mon Regard, à mon Amour, à ma Parole.

A ma Présence. Tu sais bien que Je suis là près de toi et en toi et dans les autres. Mais autre chose est de le savoir, autre chose de le percevoir. Demande-M'en souvent la grâce. Elle ne sera pas refusée à ta prière humble et persévérante. C'est l'expression la plus concrète d'une foi vivante et d'une charité ardente.

A mon Regard. Tu sais bien que Je ne te quitte pas des yeux. Si tu pouvais voir ce regard plein de bonté, de tendresse, de désir, attentif à tes options intimes, toujours bienveillant, encourageant, prêt à te soutenir et à t'aider ! Mais voilà : il te faut le rencontrer dans la foi, le désirer dans l'espérance, le chérir dans l'amour.

A mon Amour. Tu sais bien que Je suis l'Amour, mais Je le suis bien plus encore que tu ne le sais. Adore et fais confiance. Les surprises que Je te réserve seront encore plus belles que tu ne peux te l'imaginer. Le temps de l'après-mort sera celui de la victoire de mon Amour sur toutes vos limitations humaines du moment qu'elles n'ont pas été délibérément voulues en obstacle contre lui. Dès maintenant, demande-Moi la grâce d'une perception plus fine, plus intuitive de toutes les délicatesses de mon immense Amour à ton égard.

A ma Parole. Tu sais que Je suis Moi-même en toi celui qui parle, celui dont la Parole est Esprit et Vie. Mais à quoi sert de parler et d'exprimer les richesses du Père, si l'oreille de ton cœur n'est pas attentive à écouter, pour les accueillir et les assimiler. Tu sais comment Je parle en idées que Je fais éclore dans ton esprit sous l'influence du mien. Au départ, il faut que tu sois fidèle à mon Esprit. A l'arrivée, il faut que tu sois attentif à en recueillir la divine rosée. Alors ta vie sera féconde.

Le temps que tu passes à exposer ton âme aux radiations divines de l'Hostie t'est plus avantageux que des travaux poursuivis fébrilement en dehors de Moi:

C'est par le dedans que Je conduis le monde, à travers les âmes fidèles à M'écouter et à Me répondre. Elles sont ainsi quelques milliers de par le monde. Elles me donnent une grande joie, mais elles sont trop peu nombreuses. La tâche de christification de l'humanité est immense et les ouvriers bien peu nombreux.

Comme ta vie serait à la fois plus simple et plus féconde si tu Me donnais toute la place que Je souhaite occuper dans ton esprit et dans ton cœur ! Tu souhaites ma venue, ma croissance, ma prise de possession, mais il ne faut pas que cela reste un vœu platonique.

D'abord, rends-toi compte que tu n'es rien et que tu ne peux rien par toi-même pour augmenter d'un seul degré l'intimité de ma présence en toi. Il te faut humblement Me le demander en union avec Notre-Dame.

Puis, dans toute la mesure de la grâce qui t'est impartie, ne perds aucune occasion de t'unir explicitement à Moi, de disparaître en Moi. Plonge en Moi avec confiance et laisse-Moi alors agir à travers toi.

Ce n'est pas pour rire que Je l'ai affirmé : « Je veux que l'on sente ma Vie palpiter en toi. Je veux que l'on sente mon amour brûler en ton cœur. » Et j'ajoute ce matin : « Je veux que l'on sente ma lumière briller dans ton esprit. » Mais cela présuppose l'effacement de ton moi le plus possible.

Mon regard sur toi est vrai, lucide, profond. Loin de le fuir, recherche-le. Il t'aidera à découvrir tout ce qui reste en toi d'attache et de recherche personnelle. Il te stimulera à t'oublier davantage encore pour les autres.

Il faudrait que tu ne puisses te passer de Moi pour que Je puisse passer par toi autant que mon cœur le désire. Mais la nature humaine est ainsi faite que si elle n'est pas constamment stimulée, elle relâche son effort et disperse son attention. C'est ce qui explique la nécessité de ces reprises incessantes de contact avec Moi. Tant que tu es sur terre, rien n'est jamais acquis, il faut constamment recommencer. Mais à chaque nouvel élan, c'est comme une renaissance et un accroissement dans l'amour.

★

Désire-Moi. Ne suis-Je pas celui qui répond pleinement aux aspirations que J'ai Moi-même déposées en ton cœur ?

Désire-Moi. Je viendrai en toi. Je grandirai en toi. J'exercerai en toi mon emprise dans la mesure de ton désir.

Désire-Moi. Je suis tout ce qui te manque et ma possession te fait toucher du doigt la vanité de tout autre désir.

Désire-Moi. Pourquoi vouloir autre chose que vivre en symbiose avec Moi ? Combien futiles et dispersants tous les désirs qui ne convergent pas vers Moi !

Désire-Moi. Oui, à travers toutes tes occupations, du lever au coucher, de la prière au travail, du repas au repos, fais-Moi sentir tantôt en force, tantôt en mi-teinte, l'intensité de ton désir.

Désire-Moi. Que ta poitrine M'aspire, que ton cœur me cherche, que tout ton être Me veuille.

Désire-Moi pour toi, car sans Moi tu ne peux rien d'efficace ni même d'utile sur le plan spirituel.

Désire-Moi pour les autres, car tu ne Me communiqueras par tes paroles, tes exemples, tes écrits que dans la mesure où c'est Moi qui agirai par toi.

★

Vis en Moi : tu vivras par Moi, tu agiras effectivement pour Moi, et tes dernières années serviront efficacement à mon Eglise.

★

Habite en Moi comme dans ta demeure privilégiée. Rappelle-toi : *Celui qui demeure en Moi... porte beaucoup de fruit.*

Habite ma prière. Coule-toi dans le flot incessant de désirs, de louanges, d'actions de grâce qui émane de mon cœur.

Habite ma volonté. Unis-toi à ma volonté sur toi et à tous mes desseins d'amour.

Habite mes plaies. Elles sont toujours vives tant que le monde ne sera pas entièrement unifié en Moi. Puise en elles la force du sacrifice et des options douloureuses au nom de tes frères. Tes choix peuvent être décisifs pour beaucoup d'âmes.

Habite mon cœur. Laisse-toi enflammer par son intense chaleur de charité. Ah ! si tu pouvais devenir vraiment incandescent !

PENSE A MOI

Pense un peu plus souvent à ce qui me réjouit : ma venue dans les âmes d'enfants, la pureté de leurs cœurs et de leurs regards, leurs sacrifices d'amour si généreux parfois, la simplicité et la totalité du don d'eux-mêmes. Je m'épanouis en de nombreuses âmes d'enfants, là où il n'y a pas de brouillard nocif qui ait terni le cristal de leur âme, là où des éducateurs ont su les conduire, les guider, les encourager vers Moi.

Ce qui me réjouit, c'est le prêtre qui, fidèle à l'Esprit Saint et à ma Mère, a peu à peu acquis la perception quasi constante de ma présence et agit en conséquence. Ce qui me réjouit, ce sont dans tous les milieux, dans tous les pays, les âmes simples, qui ne donnent pas de prise à l'orgueil, qui ne se préoccupent pas de leur personnage, qui ne pensent pas tant à elles-mêmes qu'aux autres, en un mot, qui s'oublient naturellement pour vivre au service de mon amour.

Aime-Moi comme Je veux que tu M'aimes et que cela se sente. Aime-les tous comme Je veux que tu les aimes et que cela se sente. Détache-toi de toi-même, décentre-toi de toi pour te centrer sur Moi et que cela se sente !

★

Ne M'oublie pas. Si tu savais comme Je suis souvent oublié, même par mes meilleurs amis, même par toi ! Demande-Moi souvent la grâce de ne pas M'oublier. Tu devines bien l'enrichissement que procurerait à une âme, et par elle à toutes les âmes qui dépendent d'elle, le fait de ne jamais M'oublier, du moins autant que les circonstances le lui permettent.

★

N'oublie pas ma présence près de toi, en toi, dans le prochain, dans l'Hostie.

Le fait de te souvenir de ma présence est une transfiguration de tout ce que tu fais : tu ensoleilles divinement tes pensées, tes paroles, tes actions, tes sacrifices, tes peines et tes joies.

N'oublie pas mes désirs

— ceux qui concernent la gloire de mon Père, l'avancement de mon Royaume dans les cœurs des hommes, la sanctification de mon Eglise.

— ceux qui te concernent, c'est-à-dire ceux qui regardent la réalisation des vouloirs du Père sur toi... son rêve éternel à ton sujet, à ta place dans l'histoire sainte de l'humanité.

★

Je te mène. Sois en paix — mais ne M'oublie pas. Je suis celui qui transforme tout, qui transfigure tout pour peu qu'on M'appelle à l'aide. Quand tu M'invites à M'unir à toi, tout ce que tu accomplis ou tout ce que tu souffres a une valeur spéciale, une valeur divine. Profites-en donc, puisque cela donne à ta vie toute sa dimension d'éternité.

★

Il faut te secouer parfois pour ne pas te laisser retomber sur tes problèmes personnels. J'agis sans cesse en toi et avec toi, j'élève le débat et le combat de ta vie chaque fois que tu M'y convies. Ne crois pas que ce que J'ai à te demander soit tellement difficile. C'est bien plus par cette communion constante et amoureuse à ma divine Présence en toi que par des souffrances héroïquement supportées que Je veux te conduire.

Partage tout avec Moi. Mets-Moi en tout ce que tu fais. Demande-Moi plus souvent aide et conseil. Tu doubleras ta joie intérieure, car je suis source jaillissante de joie vivante. Quel dommage que de Me représenter comme quelqu'un d'austère, d'inhumain, d'attristant ! La communion à mon amour dépasse toutes les peines et les transfigure en joies paisibles et pacifiantes.

Cherche constamment à Me faire plaisir. Que ce soit là l'orientation foncière de ton cœur et de ta volonté. Je suis bien plus sensible qu'on ne le croit aux petites délicatesses et aux attentions fidèles.

Si tu savais à quel point Je t'aime, tu n'aurais jamais peur de Moi. Tu te jetterais éperdu dans mes bras. Tu vivrais abandonné et confiant en mon immense tendresse et surtout, même au milieu de tes occupations les plus absorbantes, tu ne pourrais M'oublier et c'est en Moi que tu accomplirais toutes choses.

Pour entendre ma voix, il faut te mettre dans une disposition d'esprit qui facilite l'accord de nos pensées.

1 - Ouvre d'abord loyalement ton âme vers Moi — loyalement, cela veut dire sans réticence, avec le désir intense de M'écouter, avec la volonté d'accomplir les sacrifices que mon Esprit pourra te suggérer.

2 - Bannis énergiquement de ton esprit tout ce qui n'est pas Moi ou selon Moi. Eloigne les préoccupations inutiles ou inopportunes.

3 - Humilie-toi. Dis-toi bien — et il faut te le redire souvent que de toi-même tu n'es RIEN — que de toi-même, tu n'es capable d'aucun bien, d'aucune fécondité, d'aucune efficacité profonde et durable.

4 - Réchauffe en toi tout l'amour dont Je t'ai rendu capable. Par suite de ta vie extérieure, la braise tend à se refroidir. Il faut ranimer régulièrement le feu de ton cœur — et pour cela, jette généreusement les brindilles de tes sacrifices ; appelle souvent le Saint-Esprit pour t'y aider, redis-Moi de ces mots d'amour qui M'attireront à toi et qui rendront plus fine ton ouïe spirituelle.

5 - Puis adore-Moi silencieusement. Tiens-toi calme à mes pieds. Entends-Moi t'appeler par ton nom.

Fais-toi toute capacité, tout désir, toute aspiration de Moi — qui peux seul te remplir sans jamais te rassasier. Compte pour perdu tout le temps que tu n'as pas employé à M'aimer. Cela ne veut pas dire qu'il faut que tu en aies conscience, mais que tu en aies la volonté et le désir profond.

C'est dans des entretiens « muets et familiers » avec Moi que tu Me rencontreras davantage. Confiance. Chaque âme a sa forme de conversation avec Moi, qui lui est personnelle.

Unis-toi à tous les mystiques inconnus, vivant actuellement sur la terre. Tu dois beaucoup à tel ou tel sans le savoir, et ton insertion dans leur chœur peut en aider plusieurs. Au fond ce sont eux qui provoquent mes grâces de rédemption pour l'humanité. Désire intensément que se multiplient les âmes authentiquement contemplatives dans le monde même.

★

Il faudrait que ta pensée et surtout ton cœur s'orientent instinctivement vers Moi, comme la boussole vers le pôle. Le travail, les rapports humains t'empêchent de penser explicitement à Moi de façon constante mais si, dès que tu as un moment de libre, tu es fidèle à m'adresser un clin d'œil, peu à peu ces actes d'amour influenceront dans la journée tes occupations. Certes elles sont pour Moi — Je le sais — même quand tu ne le dis pas — mais combien c'est mieux quand tu le dis.

Je ne te laisse jamais seul. Pourquoi Me laisses-tu encore seul trop souvent alors que tu pourrais, moyennant un petit effort, Me chercher — sinon Me trouver — en toi et dans les autres ? Tu n'y penses pas ? Mais pense à M'en demander la grâce. C'est là une grâce de choix que J'accorde toujours quand on Me la demande loyalement et avec insistance. Puis, répète-Moi souvent : « Je sais que Tu es là et je T'aime ». Ces simples mots prononcés avec amour te vaudront un renouveau de flamme. Enfin, efforce-toi de vivre dans ton cœur avec Moi : peu à peu tu vivras davantage avec Moi dans le cœur des autres. Alors, tu les comprendras mieux, tu rejoindras en eux ma prière pour eux et tu les aideras plus efficacement.

★

C'est par l'intensité de votre jonction avec Moi que vos prières, vos activités, vos souffrances porteront des fruits. Je suis Moi-même en vous Celui qui adore, qui loue le Père, qui dit merci, qui aime, qui s'offre, qui prie. Rejoignez mon adoration, ma louange, mon action de grâces, mes élans d'amour, mon oblation rédemptrice, mes immenses désirs et vous constaterez l'irradiation de votre prière intérieure confluant avec la mienne. Car il n'y a qu'une prière qui compte, c'est Ma prière que J'exprime en vous intérieurement et qui va affleurer en sentiments divers, en mots ou en silences de qualité variable — mais qui ne valent que par ma présence incessamment priante.

C'est là l'adoration en esprit et en vérité.

Seule la contemplation régulière permet cette intériorisation de la prière, de la foi, de la charité, en même temps que la radiance de ma bonté, de mon humilité et de ma joie profonde.

Seule elle Me permet d'exercer mon emprise délicate sur une âme, de resserrer ma divine étreinte et de graver en elle ma progressive empreinte.

VIS D'AMOUR
EN UNION AVEC MOI

Appelle-Moi. Je ne demande qu'à venir — mais dis-Moi plus souvent :

« Viens, Jésus, pour que je réalise pleinement tout ce que tu attends de Moi !

« Viens, Jésus, pour que j'aide les âmes comme tu le désires à réaliser ton plan d'amour sur elles !

« Viens, Jésus, pour que je T'aime comme tu **veux que** je T'aime ! »

Il y a une litanie d'amour que J'attends de toi :

Jésus, mon Amour, je T'aime !
Jésus, mon Feu, je T'aime !
Jésus, ma Force, je T'aime !
Jésus, ma Lumière, je T'aime !
Jésus, ma Suffisance, je T'aime !
Jésus, mon Hostie, je T'aime !
Jésus, ma Prière, je T'aime !
Jésus, mon Tout, je T'aime !

Développe en toi sous l'influence de mon Esprit et de ma Mère, la trilogie Foi-Espérance-Charité. Par elle, adhère à Moi de toutes tes forces, aie faim de Moi de tout ton être, unis-toi à Moi de tout ton cœur.

★

Il faut que l'on Me sente en toi, à fleur de peau.

★

Ne perds pas ton temps à agir sans amour.

★

Je suis la sève de ton âme.

★

Mon amour a des harmoniques aussi variées que puissantes. Pour les entendre, il faut vivre en sympathie constante et profonde avec Moi. Alors, la symphonie se développe en variations multiples à l'intime du cœur qui chante à l'unisson du mien.

★

Jamais l'intimité avec Moi ne fatigue ni ne lasse. Si tu ressens une fatigue quelconque, cela vient de ce que tu as perdu mon rythme et que tu n'es plus accordé à ma mesure. Alors tu t'ébroues tout seul et tu es vite à bout de force et de souffle. Appelle-Moi doucement avec foi et confiance et tu retrouveras la suite de la mélodie intérieure.

★

Il y a des couleurs, par exemple lors d'un coucher de soleil, qu'aucun peintre ne peut rendre pleinement. Il y a des joies intérieures que Je suis seul à pouvoir donner. Mon amour n'est jamais à court, il a mille visages et mille inventions toujours nouvelles.

Ah ! si vous vouliez en profiter, pour vous d'abord et puis, pour mieux me révéler à des multitudes d'âmes.

Quand tu m'aimes profondément, il se fait en toi une irradiation de Moi qui te permet invisiblement de Me donner à ceux qui t'approchent.

La qualité de tes rapports avec Moi. Voilà ce qui compte d'abord. Ta journée vaut ce qu'ont valu tes rapports avec Moi. Ont-ils été distants et réticents ? Ont-ils été fervents, aimants, pleins d'attentions ? Je ne cesse de te porter attention, mais toi ? Pourquoi attribues-tu plus d'importance pratique aux choses qui passent qu'à Moi qui ne passe pas ? Et puis, pour résoudre les problèmes que te pose la vie de chaque jour, ne penses-tu pas qu'un recours à Moi ne puisse t'être profitable, — qu'en Moi se trouvent toutes les solutions qui tiennent vraiment compte de toutes les données, même les invisibles ? Ne penses-tu pas que ce serait du temps gagné, de la fatigue épargnée que de te tourner un peu plus souvent vers Moi ? Et ce serait pour moi l'occasion de donner et de Me donner davantage, ce qui est, tu le sais bien, la pente de mon Cœur.

Je suis « inutile » parce que inutilisé dans tant de vies, même sacerdotales.

★

Mon rêve, c'est, sous votre impulsion, avec votre initiative et votre collaboration intelligente mettant en œuvre dons et talents que je vous ai confiés, la spiritualisation des activités et des vies humaines par la croissance de ma charité en chacun.

★

Vis de Moi - Vis avec Moi - Vis pour Moi.

Vis de Moi. Nourris-toi de mes pensées. Ces pensées sont l'expression de mon Esprit. Elles sont lumière et vie. Elles sont force aussi dans la mesure où tu les assimiles.

Nourris-toi de ma volonté. Ce que je veux de toi, voilà ce qu'il te faut faire. Agis sans t'inquiéter de savoir où je te mène. Tout en toi servira à la gloire de mon Père et au bien de mon Eglise si tu insères ta volonté dans la mienne.

Vis avec Moi. Ne suis-je point pour toi le meilleur Compagnon de chemin ? Pourquoi oublies-tu ma présence ? Pourquoi ne croises-tu pas plus souvent mon regard ?

Demande-Moi donc avis, conseil, aide et tu verras le prix que j'attache à ce que tu Me traites en Ami intime. C'est le rayonnement de cette amitié familière et habituelle, à base d'un ardent esprit de foi, qui donnera à ta vie le cachet qui me plaît pour toi.

Ne perds pas ton temps à M'oublier ! *Penser à Moi, c'est décupler ta fécondité.*

Vis pour Moi, sinon pour qui vivras-tu si ce n'est pour toi, c'est-à-dire pour du néant ? Si tu savais ce dont tu te prives et ce dont tu prives l'Eglise quand tu ne vis pas *pour* Moi ! car aimer, c'est d'abord cela : vivre *pour* l'être aimé.

Agis, travaille, prie, respire, mange, détends-toi *pour* Moi. Purifie sans cesse ton intention. Loyalement ne fais point ce que tu ne peux faire pour Moi. N'est-ce point cela l'exigence de l'amour ? Et c'est une preuve d'amour que d'exiger cela de toi. Mais tu le sais bien, le sacrifice paie, et tu retrouveras en joie au centuple ce dont pour Moi tu te seras privé.

Ose davantage Me mettre dans ta vie et crois que l'heure la plus utile pour ton action est celle que tu Me consacres en exclusivité. Elle t'aide, tu le sais bien, à soutenir et à enrichir ta vie intérieure pendant le temps de l'activité ; elle te sensibilise aux signes que Je te fais tout au long du jour ; elle te permet de déchiffrer les symboles que Je multiplie tout au long de ta route.

Un chrétien qui aurait compris ce que Je rêve d'être pour lui me retrouverait en tout, M'entendrait, Me découvrirait et irait d'émerveillement en émerveillement, en percevant ma présence toujours vivante, toujours actuelle, toujours active et par-dessus tout infiniment aimante.

★

N'aie dans ton esprit que des pensées aimantes, dans tes yeux que des lueurs de bonté, sur tes lèvres que des paroles de charité, dans ton cœur que des sentiments d'amitié, dans ta volonté que des vouloirs de bienveillance.

Que ta vie soit tout imprégnée d'amour vrai et que ta mort soit tout embaumée d'amour. Il n'y a que cela qui compte. Pour l'éternité, tu seras fixé au degré d'amour que tu auras atteint.

C'est au prorata de l'amour oblatif que tu apportes à l'offertoire de ta messe que tu reçois au moment de la communion une nouvelle inoculation de ma Charité. De messe en messe, il t'est loisible de grandir en mon amour, mais c'est un amour qui dépouille, immole et donne sans compter. La seule chose qui compte parce que c'est la seule valeur qui ait cours dans l'éternité, c'est la charité vraie. Quand je regarde les hommes, voilà ce que je juge immédiatement en chacun, cette charité qui n'attend pas de récompense, ni même de reconnaissance — cette charité qui s'ignore elle-même, cette charité qui exprime à sa manière personnelle ce qu'il y a de meilleur dans un être. C'est la grande leçon que l'on doit apprendre de Moi.

Viens à MOI et regarde. Dans mon regard, lis et puise. Dans mon Cœur, plonge et prends.

Dans ma volonté, approche et brûle.
Je suis FLAMME, Je suis FEU, Je suis l'AMOUR.

C'est si simple d'aimer et pourtant combien rares sont les hommes qui connaissent ce secret — même parmi les consacrés. Il n'y a d'amour vrai que là où il y a oubli de soi. Trop souvent c'est soi que l'on aime à travers ceux que l'on croit aimer.

Surtout ne complique rien. Puise en ton cœur toutes les réserves d'affection que J'y ai déposées et oriente-les vers Moi, sans plus.

Mets-toi sous l'influence de l'Esprit-Saint. Il te rendra plus incandescent. Ah ! si tu étais vraiment une braise brûlante, que d'âmes tu sauverais ! Ma véritable ascension dans les âmes se mesure à la chaleur de leur amour pour Moi et pour les autres.

Tu sais à quel point je suis l'amour infini, passionné, dévorant ; ou plutôt tu le sais intellectuellement, pas assez concrètement. C'est que je ne puis exercer mon amour sur toi que dans la mesure où tu M'y autorises par la disponibilité authentique de toute ta personne à l'action de mon Esprit, par qui se diffuse dans les cœurs ma divine dilection.

Si tu savais ce que c'est qu'un Dieu qui brûle de donner et de se donner, de pénétrer, d'envahir, d'enrichir, d'imbiber un être aimé, de le conformer au plan d'amour du Père, de l'aspirer, de l'assumer, de l'inspirer, de le prendre en compte, de se l'unir, de se l'identifier !... Mais la condition est là, irréductible. C'est le *jam non ego*. Tout ce qui est égocentrisme, orgueil, amour-propre, esprit propriétaire, recherche subtile du moi humain, est inassimilable par le feu de l'amour.

Donne-Moi un amour de qualité.

Plus il y a de l'humilité dans une âme, plus l'amour est pur.

Plus il y a de l'esprit de sacrifice dans une âme, plus l'amour est vrai.

Plus il y a communion à l'Esprit-Saint dans une âme, plus l'amour est fort.

Si tu avais davantage l'obsession de mon amour, bien des choses retrouveraient en toi leur place, leur valeur relative. Que de fois tu te laisses troubler par des nuées qui n'ont aucune importance et tu négliges les seules réalités qui comptent !

Je suis Moi-même en toi Celui qui aime le Père.

Peux-tu imaginer la pression et l'intensité du feu de mon

amour pour le Père qui m'engendre sans cesse comme l'Esprit engendre la pensée, mais en lui donnant tellement d'importance qu'elle devient substantielle et qu'elle est une Personne égale à celle qui la pense et l'engendre. Mystère du don, mystère de l'amour parfait, qui est l'objet de la contemplation et de la louange des élus au ciel.

Je suis Moi-même en toi Celui qui aime le Saint-Esprit, le nexus vivant qui me lie au Père, le baiser substantiel de notre amour. Nous sommes distincts et liés tout ensemble comme Feu et Flamme. Il est le don de mon Père à moi-même et la louange d'action de grâces de Moi-même au Père.

Je suis Moi-même en toi Celui qui aime Marie.

Amour créateur car ensemble avec le Père et l'Esprit, de toute éternité Nous l'avons conçue et elle ne nous a pas déçus.

Amour filial, car Je suis en toute vérité son enfant plus qu'aucun fils sur terre n'est l'enfant de sa mère.

Amour rédempteur qui lui a valu la préservation du péché originel et qui l'a étroitement associée à l'œuvre du salut du monde.

Je suis Moi-même en toi Celui qui aime tous les anges et tous les saints. Tu peux détailler, depuis ton ange gardien jusqu'à tes saints préférés et tous tes aïeux entrés dans l'éternité bienheureuse. Que ta conversation soit de plus en plus par Moi dans les cieux où ils t'attendent.

Je suis Moi-même en toi Celui qui aime tous les hommes actuellement sur terre, toutes les âmes qui composent

ta postérité innombrable, tous ceux que Je te découvrirai
un jour comme ayant bénéficié plus directement de tes renoncements, de tes souffrances, de tes travaux et puis aussi
tous les autres, tous sans exception.

Il n'y a que ce que tu imprègnes d'amour qui ait cours
dans mon Royaume et à mes yeux. Les choses ne valent
que leur teneur en amour. Les hommes ne valent que leur
dose d'amour oblatif. C'est cela seul qui compte et pour
que tout chez toi soit imprégné par mon amour, il te faut
te ressourcer et t'exercer ; te ressourcer car l'amour divin
est un don qu'il faut demander sans cesse et avec intensité,
t'exercer car la charité est une vertu qui demande beaucoup
de courage.

Ah ! si les hommes voulaient bien rectifier en ce sens
leur échelle de valeurs ! S'ils pouvaient voir l'importance de
l'amour en leur vie !

★

Aimer, c'est penser à Moi, c'est Me regarder, c'est M'é-
couter, c'est s'unir à Moi, c'est tout partager avec Moi.
Toute votre vie est une suite presqu'ininterrompue d'options
en faveur ou au préjudice de cet amour qui tend à vous faire
renoncer à vous-même au bénéfice des autres. Plus cet
amour grandit dans une âme, plus elle élève le niveau de
l'humanité, mais quand une âme dit « non » à l'offre qui lui
est faite de participer à cet amour, il y a manque à gagner

dans l'enrichissement divin du monde et retard dans l'évolution spirituelle des peuples de la terre.

Celui qui s'efforce d'aimer avec mon Cœur voit tous êtres et toutes choses avec mon regard — et entend intérieurement le message divin que tous êtres et toutes choses sont chargés de lui porter.

N'as-tu pas cbservé que plus tu étais fidèle à l'oraison, moins celle-ci était lassante ? On ne se lasse que de ce qu'on laisse — mais à tenir, on obtient la grâce qui permet de goûter et parfois de savourer, en tout cas de porter et, s'il y a lieu, de supporter.

Plus tu percevras mon amour d'une façon vivante, expérimentale, plus tu seras en mesure de le révéler aux autres. C'est là la forme de témoignage que J'attends de toi.

Ce fluide mystérieux qui donne au visage des hommes ce reflet indéfinissable de divin jaillit dans les profondeurs de l'intimité prolongée du tête à tête avec Moi.

Je suis non seulement le lien, mais le lieu des âmes, là

où elles peuvent se retrouver et communier entre elles, à travers Moi.

En Moi, tu peux certes trouver d'abord le Père et l'Esprit-Saint — car le Père est en Moi et je suis dans le Père — et le Saint-Esprit nous unit l'un à l'autre dans une circumincession ineffable.

En Moi, tu peux trouver aussi ma Mère Marie qui est unie à Moi d'une façon incomparable et par qui Je continue à Me donner au monde.

En Moi, tu trouves ton ange gardien, fidèle compagnon de ta vie militante, dévoué messager et attentif protecteur.

En Moi, tu trouves tous les saints du ciel depuis les patriarches jusqu'aux apôtres, depuis les prophètes jusqu'aux martyrs.

En Moi, tu trouves tous les prêtres qui me sont unis à un titre particulier en vertu de leur ordination sacerdotale, qui tend à les identifier à Celui au nom de qui ils parlent.

En Moi, tu trouves tous les chrétiens, mais aussi tous les hommes de bonne volonté, quels qu'ils soient.

En Moi, tu trouves tous les souffrants, tous les malades, tous les infirmes, tous les mourants.

En Moi, tu trouves tous les défunts du Purgatoire qui puisent dans ma présence obscure le fondement de leur ardente espérance.

En Moi, tu trouves le monde entier, connu et inconnu, toutes les beautés, toutes les richesses de la nature et de la science, qui dépassent ce que les plus grands savants peuvent entrevoir.

En Moi surtout, tu trouves le secret de l'amour oblatif total, car Je suis essentiellement Celui qui aime et qui désire par les hommes apporter le feu sur la terre, en vue de rendre l'humanité incandescente de joie et de bonheur pour l'éternité.

Je t'attends sans cesse — sans impatience, certes, te sachant faible et fragile, mais si désireux de t'écouter et de te sentir aux écoutes de ma Parole. Ne laisse pas ton esprit papillonner sur tant de choses éphémères et inutiles. Ne laisse pas gaspiller en tant de futilités le peu de temps dont tu disposes. Pense que Je suis là, Moi, ton Maître, ton Ami, ton Serviteur et tourne-toi vers Moi. Comme ton rayonnement serait plus intense et plus étendu si tu faisais davantage et plus amoureusement attention à Moi !

Retiens bien ceci : quelle que soit l'activité que l'on accomplit ou la souffrance que l'on supporte, c'est l'union d'amour que l'on y apporte qui en fait la valeur.

Cherche à t'unir à Moi davantage. Unis-toi à ma Prière. Unis-toi à mon Offrande. Unis-toi à mon action dans le monde à l'intime des cœurs. Vois comme elle est contrariée par tous les égoïsmes conscients ou inconscients. Vois au contraire comme elle est puissante dans les âmes généreuses qui s'y livrent avec docilité.

Unis-toi à Moi pour faire tout ce que tu as à faire et tu verras comme cela sera mieux fait et plus facile. Unis-toi à Moi pour être bon, accueillant, compréhensif, ouvert aux autres et Je ferai passer quelque chose de Moi dans les contacts que tu auras. Si tu ne veux pas être séparé de Moi, unis-toi à Moi plus souvent et plus intensément, à travers toutes les heures claires ou grises de chaque jour.

Ce n'est pas en vain que tu multiplies tout au long du jour des actes positifs d'amour et de désir, car ainsi grandit en toi quelque chose de la charité du Père pour Moi et cela me permet une surabondance de ma présence en toi, qui Me rendra manifeste à travers ton enveloppe charnelle. Il faut que ton amour soit actif et vigilant. S'il s'endort par lâcheté ou négligence, il y a comme une pause au rayonnement de ma vie en toi.

Il y a dans la connaissance de mon amour pour toi et pour le monde plusieurs zones concentriques dont la pénétration ne peut qu'aviver ta foi et ta charité.

Il y a d'abord cette perception expérimentale de ma présence aimante qui t'enveloppe intérieurement et extérieurement. Ne suis-Je pas en toi, au plus intime de toi-même ? Ne suis-Je pas sans cesse auprès de toi et n'ai-Je pas raison de te redire souvent : « Regarde-Moi te regarder. Agis en membre de Moi. Traite avec Moi comme si tu Me voyais — et souris-Moi. »

Il y a ensuite cette connaissance intellectuelle de l'amour infini qui vous a aimés jusqu'à faire des folies, la folie de la crèche, la folie de la croix, la folie de l'hostie, la folie du sacerdoce — avec tout ce que cela comporte d'humilité et de tendresse de ma part : Me faire créature, Me faire tout petit, Me faire dépendant de vous et de votre bonne volonté collaborante.

Il y a enfin ce que vous ne pouvez actuellement ni savoir, ni percevoir — c'est ce feu de l'amour trinitaire qui vous soulèvera, vous embrasera, vous alimentera dans l'éternité et pour l'éternité, vous faisant participer à notre joie substantielle dans une charité universelle exaltante.

Si tu savais combien J'aime être enfin compté pour quelque chose dans la vie de chaque jour, ne pas être seulement Celui que l'on invoque selon les rites, mais l'Ami vrai et intime avec qui on compte et sur qui on peut compter. Ne suis-Je pas Celui qui ressent ce que tu éprouves, qui assume tes états d'âme, qui transfigure et féconde tes désirs, tes gestes, tes paroles... Tout ce qui remplit tes journées doit être pour toi l'occasion de faire passer tout l'amour de ton âme.

Nous sommes ensemble

Nous sommes ensemble comme le sarment est ensemble avec le cep de la vigne, comme le membre est ensemble avec le corps.

Ensemble nous prions.
Nous sommes ensemble pour travailler
pour parler
pour être bons
pour aimer
pour offrir
pour souffrir
pour mourir
et un jour pour voir le Père, Notre-Dame, nous réjouir.
La conscience d'être ensemble est une garantie de sécurité, de fécondité, de joie.

● sécurité :

Qui habitat in adjutorio Altissimi, in protectione Dei cœli commorabitur.

Il inspire, il guide, il conduit par son esprit.

J'accomplis avec Lui le plan éternel d'amour du Père sur moi au profit de tous.

Christus in me manens ipse facit opera.

Que puis-je craindre pour le grand passage ? Nous sommes ensemble.

● fécondité :

Qui manet in me et ego in eo, hic fert fructum multum
visible   radiance
et invisible   visitation
               virtus de illo exibat et
               sanabat omnes.

● joie :

Sto ad ostium et pulso... cœnabo cum illo et ille mecum.
Intra in gaudium Domini.

Je veux que l'on sente ma joie resplendir en ton âme.

Je suis Moi-même en toi Celui qui parle en ton nom et qui ne cesse de demander les grâces dont tu as besoin pour réaliser à la place voulue par Lui dans la symbiose du Corps mystique le plan éternel d'amour du Père sur toi.

Je suis Moi-même en toi Celui qui s'offre et se donnant sans réserve au Père, rêve d'inclure dans son oblation l'offrande de toi et de tous tes frères.

Je suis Moi-même en toi Celui qui offre à la bénédiction et à la purification de l'Esprit toutes les âmes actuellement sur la terre.

Je suis Moi-même en toi Celui qui adore, loue, remercie le Père, ardemment désireux que Je suis de récapituler les adorations, les louanges et les actions de grâces de toute l'humanité.

Mon amour est délicat, tendre, attentif, miséricordieux, fort et divinement exigeant.

Mon amour est délicat. Je t'ai aimé le premier et tout ce que tu es, c'est Moi qui te l'ai donné. Par délicatesse, Je ne te le rappelle pas souvent. J'attends que tu t'en rendes compte, que tu m'en remercies et que tu en tires toi-même les conséquences.

Mon amour est tendre. Je suis la tendresse infinie. Si l'on savait les richesses de mon Cœur et l'immense désir que J'ai de vous en combler ! Viens à Moi, mon petit. Mets ta tête sur mon épaule et tu comprendras mieux *quam suavis est Dominus tuus.*

Mon amour est attentif. Rien de ce qui te concerne ne M'échappe. Aucun sentiment de ton âme ne m'est étranger. Je fais miens tous tes désirs dans la mesure où ils sont conformes au plan d'amour de mon Père et donc à ton véritable intérêt. Je fais miennes toutes tes intentions et bénis fidèlement toutes les âmes que tu me confies.

Mon amour est miséricordieux. Je connais mieux que toi les circonstances atténuantes et les raisons excusantes de tes fautes, de tes erreurs, de tes écarts.

Mon amour est fort. Il est fort de ma puissance. Il est fort pour te soutenir, pour te relever, pour te guider dans la mesure où tu fais appel à lui. Qui s'appuie sur lui, ne peut jamais être déçu.

Mon amour est divinement exigeant. Tu l'as compris. Parce que Je t'aime pour toi, Je veux pouvoir me donner à toi davantage — et ne puis le faire que si tu réponds toi-même fidèlement à toutes les invitations de ma grâce, à toutes les impulsions de mon Esprit.

Parce que Je t'aime pour tes frères, Je veux pouvoir passer par toi davantage. A toi de Me refléter, de Me révéler, de M'exprimer, mais Je ne puis le faire que si tu M'ouvres toutes grandes les portes de ton cœur — et si tu réponds généreusement à mes appels.

Simplifie toutes choses, joyeuses ou douloureuses, par l'amour. Comme Je voudrais te voir faire chaque jour un quart d'heure d'amour pur, positif, explicite. En union avec Moi, exerce-toi progressivement. Commence par une minute, puis deux, puis trois. Si tu persévères, sous l'influence de l'Esprit, tu arriveras bien à quinze. Tu verras alors comme bien des choses seront remises à leur vraie place — et tu auras un avant-goût de ce que Je te réserve quand ton heure aura sonné. Tu entreras ainsi peu à peu dans mon immensité sans crainte d'y perdre pied puisque c'est Moi qui t'envahirai.

Il te faut un amour plus fort que ta surcharge d'occupations, plus fort que tes soucis, plus fort que ta souffrance.

Ce qui compte à mes yeux, ce n'est pas l'amour que tu éprouves, mais l'amour que tu me prouves.

Réitère souvent dans la journée de petites adorations silencieuses envers Moi qui t'aime tant et jamais ne te quitte. Demande-Moi fréquemment de faire grandir en toi le désir de Moi, le goût de Moi, la joie de Moi. C'est là une prière que J'aime à exaucer — mais sois patient et ne cherche pas à aller plus vite que ma grâce.

C'est par le dedans que se construit mon Royaume et J'ai davantage besoin d'âmes généreuses dans les combats intérieurs au profit de leurs frères que de propagandistes ou d'hommes d'affaires, même au service de mon Eglise.

Ce qui compte, c'est le feu de l'amour qui grandit dans les cœurs, plus que de grandes actions extérieures, de très belles organisations qui du point de vue institutionnel peuvent paraître remarquables mais sont vides ou à peu près de ma présence vivante et active.

N'accepte pas la monotonie d'amour. Cherche et tu trouveras de nouvelles manières de Me l'exprimer. Les miennes ne sont jamais monotones. Fais-Moi sentir plus souvent que c'est Moi que tu désires — et redis-Moi en ton nom et au nom des autres : *Maran atha*. Viens, Seigneur Jésus, viens.

Crois-le : Je réponds toujours aux invitations.

La lettre n'a d'intérêt que dans la mesure où elle stimule et facilite l'amour, mais non dans celle où elle l'étouffe et le contrarie.

Il faut certes des points fixes dans la vie spirituelle, mais à titre de témoins et de garde-fous, non à titre d'obstacles et d' « arbres cachant la forêt ».

Laisse-moi te conduire comme Je l'entends. Ne t'inquiète pas de l'avenir. Quelque chose t'a-t-il manqué dans le passé ? Il ne te manquera rien parce que Je serai toujours là et que rien ne manque à celui à qui Je ne manque pas. Ma présence et ma tendresse seront toujours auprès de toi, suscitant en toi action de grâces, amour et zèle. Même aux heures sombres et dures de ta vie, J'étais là. Tu l'as d'ailleurs bien perçu — et les tunnels ont débouché sur la lumière.

Si l'on voulait venir auprès de Moi plus souvent, avec plus de disponibilité, on puiserait dans la contemplation de ma divine présence de nouvelles énergies. Je suis la Fontaine de Jouvence et c'est en Moi que s'opère tout véritable aggiornamento, dans les âmes, dans les foyers, dans toutes les sociétés. Le monde se dévitalise par pénurie de vie contemplative authentique.

La vie contemplative, ce n'est pas la vie d'extase, c'est la vie où Je suis quelqu'un qui compte, quelqu'un avec qui l'on compte, quelqu'un sur qui on peut compter. C'est aussi la vie de confluence où l'on rejoint par la pensée ou tout simplement par une union virtuelle, tous mes élans d'amour, d'adoration, de louange, d'action de grâces, mon oblation incessante si rédemptrice et si spiritualisante et aussi mes immenses désirs équivalents à vos immenses besoins. De cette jonction vitale avec Moi dépend pour le monde entier le déclenchement de ma grâce, des bienfaits divins, et plus spécialement de l'assomption progressive de toute l'humanité besogneuse, humble et généreuse par ma divinité.

La durée de l'amour doit tendre vers l'imprégnation totale de ton existence — non pas qu'elle prenne toujours la même forme, la même coloration et que la conscience soit constamment lucide à son sujet. L'essentiel en amour n'est pas la conscience totale, mais le fait d'aimer : penser à l'Autre avant de penser à soi, vivre pour l'Autre avant de vivre pour soi, se perdre en l'Autre au point de s'oublier soi-même et qu'Il grandisse dans la mesure où le « je » diminue. Quand on aime vraiment, on ne réfléchit pas qu'on aime. On aime et c'est tout.

Je veux te dire combien J'apprécie la prière que tu fais chaque jour en Me recevant dans la Sainte Communion : « O Jésus, fais grandir en moi le désir de toi, le désir de te posséder, le désir d'être possédé par toi et celui de vivre de plus en plus *in persona Christi.* »

Tu ajoutes : « Exerce sur moi ton emprise, resserre ton étreinte, marque-moi de ta divine empreinte. »

Ne t'étonne pas de ne pas être exaucé plus vite de manière sensible et perceptible. Continue avec persévérance. Cela vient peu à peu — mais cela demande bien du temps et des conditions de purification préalables qui se réalisent jour après jour.

Ce qui fait la valeur d'une vie, c'est la qualité de l'amour qui l'inspire. Cet amour peut subir des moments de fading ; mais s'il est loyal, il rebondit et transfigure tout ce qu'il touche — à la manière du soleil qui peut être caché par un nuage mais qui continue à briller et qui jaillit à nouveau à la première éclaircie. Amour qui éclaire, amour qui réchauffe, amour qui pénètre, amour qui guérit, amour qui réjouit !

Tout être humain possède en lui d'immenses possibilités d'amour. Sous l'influence de l'Esprit, cet amour peut être sublimé et s'exprimer en actes merveilleux de générosité allant jusqu'au sacrifice de soi. Sous l'influence de l'égoïsme, il peut se dégrader et aboutir aux pires excès de la bestialité avec toutes les formes que peut revêtir la muflerie humaine. C'est dans la mesure où l'humanité purifie et intensifie ses puissances affectives qu'elle monte et se surpasse en étant assumée par Moi, car Je ne puis assimiler, étant Moi-même tendresse infinie, que ce qu'il y a d'amour authentique dans un cœur d'homme.

Je suis avant tout l'Ami très tendre et très discret — qui se réjouit des initiatives de ceux qu'Il aime, s'attriste de leurs erreurs, de leurs bévues, de leurs opacités, de leurs ambiguïtés, de leurs résistances — mais est toujours prêt à pardonner et à éponger les fautes de ceux qui reviennent à Lui avec amour et humilité.

Je vois aussi toutes les possibilités de bien en chacun et Je suis tout prêt à faciliter leur épanouissement — mais Je ne puis rien sans votre collaboration. C'est dans la mesure où vous faites attention à ma présence que vous attirez sur vous l'efficacité de ma divine vitalité.

Je suis la Lumière — mais aussi la Vie. Ce qui n'est pas conçu, effectué, réalisé en union au moins virtuelle avec Moi est destiné à périr.

★

Tu sais bien que de toi-même, tu n'es RIEN, tu ne peux RIEN — mais tu seras étonné un jour de voir ce que nous aurons fait ENSEMBLE.

★

Cherche-Moi qui suis en toi, au fond de toi, et mets-toi librement mais avec une totale générosité sous ma divine emprise. Même si celle-ci ne se fait pas sentir, elle s'exerce et t'inspire à ton insu. Tu regrettes de ne pas avoir constamment une conscience lucide de ma présence — mais ce qui compte c'est que Je sois là et que J'entende tes affirmations d'amour. Donne-M'en des preuves — par des petits sacrifices, par de menues souffrances supportées en rejoignant les miennes — par des interruptions courtes et fréquentes au milieu de ton travail ou de tes lectures — et tu verras peu à peu grandir en toi un état de fidélité et de disponibilité à tout ce que Je te demanderai.

**DEMANDE-MOI
UNE FOI VIVANTE**

La foi est un don que je ne refuse jamais à qui me le demande avec persévérance. C'est pour vous le seul moyen normal d'avoir une antenne dans l'au-delà.

Tant que tu es sur terre, le climat normal de l'âme est un climat de foi et de foi méritoire, avec ce divin mélange de clarté et d'ombre qui te permet raisonnablement d'adhérer à Moi sans Me saisir dans la plénitude de l'évidence. Précisément, c'est là ce que j'attends de toi. Où serait ton mérite si j'apparaissais tel que je suis, transfiguré devant toi ? Cependant, plus tu exerceras ta foi dans l'amour, plus tu arriveras à percevoir ma divine présence dans l'obscur.

« *Le juste vit de la foi* ». Sa richesse, ce sont ces réalités invisibles qui pour lui deviennent perceptibles. Sa nourriture, c'est ma présence, mon regard, mon secours, mes exigences d'amour. Son ambition, c'est de Me faire naître et grandir en beaucoup d'âmes de façon qu'il y ait un peu plus de MOI sur la terre. Sa société, c'est mon Corps mystique. Sa famille, c'est la famille trinitaire d'où tout part et où tout aboutit par MOI, avec MOI et en MOI. Pour toi, vis de plus en plus ce programme. C'est avant tout ce à quoi Je t'appelle.

Demande-Moi fidèlement une foi profonde, lumineuse,

solide, éclairée et rayonnante. Une foi qui ne soit pas seulement une adhésion intellectuelle et volontaire à des vérités dogmatiques abstraites, mais une perception de ma présence vivante, de ma parole intérieure, de ma tendresse aimante, de mes désirs inarticulés. Sache que Je veux t'exaucer, mais demande plus instamment. Que ta confiance Me témoigne ton amour.

★

Tu ne demandes pas assez parce que tu n'as pas assez de foi. Tu n'as pas assez de foi pour croire que Je puis t'exaucer, que Je suis là aux aguets de tes désirs. Tu n'as pas assez de foi pour demander avec persévérance — sans lâcher pied au premier obstacle, sans te lasser parce que pour éprouver cette foi et accroître ton mérite, Je semble garder le silence.

Tu n'as pas assez de foi pour te rendre compte de l'importance des grâces que tu as à obtenir pour toi et pour les autres, pour l'Eglise et pour le monde. Tu n'as pas assez de foi pour désirer avec intensité et avec ardeur ce qui serait nécessaire à tant d'âmes d'aujourd'hui. Tu n'as pas assez de foi pour venir de temps en temps passer une heure auprès de Moi.

Tu n'as pas assez de foi pour ne pas ressentir une petite humiliation d'être laissé de côté ; et toi, ne Me laisses-tu pas trop souvent ? Suis-Je toujours, dans ta vie, à part entière ? Tu n'as pas assez de foi pour te priver de petites gourmandises inutiles alors que par tes sacrifices tu pour rais déclencher tant de grâces pour les âmes.

J'aime que tu saches Me découvrir, Me reconnaître, Me percevoir à travers tes frères, à travers la nature, à travers les événements petits ou grands. Tout est grâce et Je suis là.

Tant que tu es sur terre, tu as comme les yeux bandés. C'est par la foi seule, sous l'influence de mon Esprit, que tu peux être sensibilisé à ma présence, à ma voix, à mon amour. Agis comme si tu Me voyais — beau, tendre, aimant comme Je suis, et pourtant si mal compris, si isolé, laissé de côté par beaucoup d'hommes à qui J'ai tant donné et suis disposé à tant pardonner.

J'ai un tel respect de vos personnes humaines ! Je ne veux rien brusquer. C'est pourquoi Je suis si patient tout en étant attentif et sensible à la moindre marque d'amour ou même d'attention.

★

Dilate ton cœur aux dimensions du vaste monde. Ne sais-tu pas que J'ai de quoi le remplir ?

APPELLE L'ESPRIT

Appelle plus souvent l'Esprit Saint. Lui seul peut te purifier, t'inspirer, t'éclairer, t'enflammer, te « médiateuriser » te fortifier, te féconder.

C'est Lui qui peut te délivrer de tout esprit mondain, de tout esprit superficiel, de tout esprit de repliement sur toi.

C'est Lui qui te fait apprécier à leur juste valeur les humiliations, la souffrance, l'effort, le mérite dans la synthèse de la Rédemption.

C'est Lui qui projette un reflet de notre sagesse sur tous tes états d'âmes joyeux ou douloureux dans la ligne de notre Providence.

C'est Lui qui assure à la phase méritoire de ton existence sa pleine productivité au service de l'Eglise.

C'est Lui qui suggère ce qu'il te faut faire et t'inspire ce qu'il te faut demander pour que je puisse agir par ton activité et prier par ta prière.

C'est Lui qui au cours même de tes activités te purifie de l'esprit propre, du jugement propre, de l'amour propre, de la volonté propre. C'est Lui qui maintient ta vie dans l'axe de mon amour. C'est Lui qui t'empêche de t'attribuer le bien qu'Il te fait faire.

C'est Lui qui met le feu à ton cœur et le fait vibrer à l'unisson du mien, c'est Lui qui fait jaillir dans ton intelligence ces idées auxquelles rien ne te faisait penser. C'est

Lui qui dans la mesure où tu Lui es docile, t'inspire telle décision opportune, tel comportement salutaire, et aussi tel retour au désert.

C'est Lui qui te donne la force d'entreprendre et le courage de continuer en dépit des obstacles, des contradictions, des oppositions.

C'est Lui qui te maintient dans la paix, dans le calme, dans la sérénité, dans la stabilité, dans la sécurité.

★

Tu as besoin de l'Esprit Saint pour faire grandir en toi l'esprit filial à l'égard du Père : Abba Pater, et l'esprit fraternel à l'égard des autres.

Tu as besoin de l'Esprit Saint pour que ta prière soit axée sur la mienne et puisse prendre toute son efficacité.

Tu as besoin de l'Esprit Saint pour vouloir ferme, tenace, puissant. Tu sais bien que sans Lui, tu n'es que faiblesse et infirmité.

Tu as besoin de l'Esprit Saint pour avoir la fécondité que Je veux pour toi. Sans lui, tu n'es que poussière et stérilité.

Tu as besoin de l'Esprit Saint pour voir toutes choses comme Je les vois et avoir un juste indice de référence sur la valeur des événements dans la synthèse de l'Histoire vue par le dedans.

Tu as besoin de l'Esprit Saint pour te préparer à ce qui sera ta vie définitive et t'aider à prier, à aimer, à agir comme si tu arrivais au Paradis.

★

Crois à la présence de l'Esprit Saint en toi ; mais il ne peut agir et te faire percevoir sa divine réalité que si tu L'appelles en union avec Notre-Dame.

Appelle-Le pour toi, mais aussi pour les autres — car Il est en beaucoup de cœurs comme baillonné, ligoté, paralysé. C'est pourquoi le monde trop souvent va mal.

Appelle-Le au nom de tous ceux que tu rencontres. Il viendra en chacun selon sa mesure de réceptivité — et de proche en proche augmentera en chacun sa capacité.

Appelle-Le au nom de toutes les âmes inconnues que Je te confie et pour lesquelles ta fidélité peut valoir des grâces précieuses.

Appelle-Le surtout au nom des prêtres et des âmes consacrées pour que se multiplient dans le monde d'aujourd'hui, d'authentiques contemplatifs.

★

La période post-conciliaire est toujours pour l'Eglise une période délicate où l'ivraie est semée la nuit par l'*inimicus homo* avec le bon grain.

Qui aspire mon Esprit respire la charité de mon Cœur.

Comme le monde irait mieux, comme l'Eglise serait plus vivante et plus unie, si l'Esprit était plus ardemment désiré et plus fidèlement obéi !

Demande à ma Mère de t'inclure dans le cénacle des âmes, pauvres et petites, qui sous sa maternelle direction valent à l'Eglise et au monde une effusion plus abondante et plus efficace de mon Esprit d'amour.

★

Confiance, mon enfant. Je veux que de plus en plus, on sente ma vie palpiter en toi.

★

Tout ce que tu m'offres, tout ce que tu fais, tout ce que tu me donnes, Je le reçois en Sauveur — et dans l'unité de l'Esprit Saint, Je puis à mon tour l'offrir au Père purifié de toute ambiguïté humaine, enrichi de mon amour au profit de toute l'Eglise et de toute l'humanité.

★

Si tu connaissais le pouvoir d'union et d'unification de l'Esprit Saint, esprit d'unité ! Il agit *suaviter et fortiter* à l'intime des cœurs qui se mettent loyalement sous son influence. Il y a relativement si peu d'hommes qui L'appellent réellement et c'est pourquoi tant de nations, tant de communautés, tant de familles sont divisées.

Appelle-Le pour qu'Il fasse grandir notre joie trinitaire en ton âme, cette joie ineffable qui procède du fait que chacune de nos Personnes, tout en restant pleinement elle-même, se donne sans réserve aux deux autres. Joie totale du don, de l'échange, de la communion incessante, dans laquelle nous rêvons de vous insérer librement.

Feu d'amour qui ne demande qu'à envahir mais qui est limité dans son action en vous et son intensité par votre inattention et votre refus de vous livrer à Moi.

Feu qui voudrait vous dévorer non pour vous détruire, mais pour vous transformer, vous transfigurer en lui — de façon à ce que tout ce que vous touchiez s'enflamme à votre contact.

Feu de lumière et de paix — car J'apaise tout ce que Je conquiers et Je fais participer à ma joie lumineuse tout ce que J'assume.

Feu d'unité où dans le respect des légitimes et enrichissantes virtualités individuelles, Je supprime tout ce qui divise et tout ce qui s'oppose pour tout aspirer en mon amour. Mais il faut désirer plus fort encore ma venue, ma croissance, ma possession — il faut désirer la fidélité au sacrifice et à l'humilité, il te faut Me permettre de Me servir de toi pour manifester la délicatesse de ma Bonté.

Que sous l'influence de mon Esprit, tu deviennes un incendiaire d'amour !

★

On gagne toujours du temps à prendre celui de se mettre sous l'influence de mon Esprit et à Me donner celui que Je demande.

L'Esprit Saint ne cesse de travailler à l'intime de chaque être comme à l'intérieur de chaque institution humaine. Mais il faut des apôtres fidèles à ses inspirations — dans la docilité à la Hiérarchie qui Me représente et Me continue parmi vous. Collaboration active qui signifie dynamisme à mon service — en exploitant de votre mieux les talents et les moyens, si limités soient-ils, que Je vous ai donnés. Collaboration active, c'est-à-dire fidélité à travailler en liaison avec Moi et en communion avec tous vos frères. Et tout cela, dans la sérénité. Je ne vous demande pas de porter sur vos nerfs la misère du monde, ni même les crises de mon Eglise — mais dans votre cœur, dans votre prière et dans votre oblation.

★

Mon Esprit est avec toi. Mon Esprit est Lumière et Vie.

Il est Lumière tout intérieure sur tout ce que tu as besoin de savoir et de percevoir. Il n'a pas à te révéler d'avance tous les desseins du Père mais il te donne dans la foi les clartés qui te sont nécessaires pour ta vie intérieure et ton activité apostolique.

Il est Vie, c'est-à-dire mouvement, fécondité, puissance. Mouvement, car Il agit par ses pulsions discrètes mais si précieuses, il meut tes aspirations, il inspire tes désirs, il oriente tes options, il stimule tes efforts. Fécondité, car c'est Lui qui augmente ma vitalité en toi et accroît ta postérité déjà innombrable. Il se sert de ta pauvre vie et de tes faibles moyens pour agir par toi et attirer vers Moi. Puissance, car il agit non pas d'une manière fracassante, mais à la façon de l'huile qui pénètre, imprègne, fortifie, et facilite l'activité humaine en l'empêchant de grincer.

Quand l'Esprit Saint fond sur un être humain, Il le change en un autre homme, car cet homme est sous l'emprise divine.

Que ton désir de la venue plus abondante de l'Esprit Saint en toi et dans l'Eglise s'intensifie. Tu seras toi-même étonné des résultats qu'elle produira en toi et en ceux au nom de qui tu l'appelleras.

SOIS EN ÉTAT
D'OFFRANDE

Je suis Celui qui offre. Unis à mon offrande au Père, en hommage de louange, toutes les joies humaines : joies de l'amitié, joies de l'art, joies du repos, joies du travail accompli, joies surtout de l'intimité avec Moi et du dévouement à mon service à travers le prochain.

Offre-Moi la myrrhe de toutes les souffrances humaines, souffrances de l'esprit, souffrances du corps, souffrances du cœur, souffrances des agonisants, des prisonniers, des accidentés, des esseulés.

Appelle-Moi doucement, calmement, amoureusement au secours pour tous ceux qui souffrent et tu feras valoir leurs douleurs en les unissant aux miennes, leur obtenant grâce de soulagement et en tout cas de réconfort.

Offre-Moi l'or de tous les actes de charité, de bonté, de bienveillance, d'amabilité, de dévouement, qui d'une manière ou d'une autre sont prodigués sur cette terre. Je vois les choses avec les yeux de l'amour et ce que Je guette, ce sont les tentatives humaines du véritable amour à base d'oubli de soi.

Offre-les Moi pour que Je les encourage et que Je puisse m'en nourrir au profit de ma croissance dans le monde.

★

L'oblation, c'est la clé qui déclenche des ondes de grâces pour les âmes.

★

C'est apparemment peu de chose que ce geste, cette pensée de M'offrir ceux qui souffrent, ceux qui sont seuls, ceux qui sont découragés, ceux qui luttent, ceux qui tombent, ceux qui pleurent, ceux qui meurent — et aussi ceux qui M'ignorent, ou qui M'ont abandonné après M'avoir suivi...

Offre-Moi le monde entier...
    tous les prêtres du monde...
    toutes les religieuses du monde...
    toutes les âmes ferventes du monde...
    toutes les âmes d'oraison,
    tous les tièdes, tous les pécheurs, tous les souffrants.

Offre-Moi tous les jours de cette année — toutes les heures joyeuses et toutes les heures douloureuses.

Offre-les Moi pour que Je fasse passer à travers toutes, un rayon d'espérance — et qu'ainsi Je grandisse en beaucoup d'âmes, qui librement adhèreront à Celui qui seul peut combler leurs aspirations profondes vers l'immortalité, vers la justice, vers la paix que seul Je puis donner.

De plus en plus, vis au nom des autres, en union avec tous. Récapitule-les en toi à l'heure de la prière comme à l'heure du repos. En toi et par toi, j'attire à Moi les âmes que tu représentes à mes yeux. Désire ardemment en leur nom que Je sois leur lumière, leur salut et leur joie. Crois bien qu'aucun de tes désirs, venant du profond de ton être, n'est inefficace. C'est à force de désirs semblables multipliés à travers le monde que s'élabore peu à peu mon Corps mystique.

★

Il ne suffit pas de M'offrir les souffrances des hommes pour que Je les soulage ou que je les prenne en compte à leur profit. Offre-Moi aussi toutes les joies de la terre pour que Je les purifie, les intensifie en les unissant aux miennes et à celles des saints au ciel.

Il ne suffit pas de M'offrir les péchés du monde pour que Je les pardonne et que Je les éponge comme s'ils n'avaient jamais été commis. Offre-Moi aussi tous les actes de vertu, toutes les options accomplies pour Moi ou pour les autres afin que Je leur donne dimension d'éternité.

Il ne suffit pas de M'offrir tout ce qui ne va pas sur la terre — et Je sais mieux que personne les carences des êtres ou des choses — pour que J'y mette bon ordre et colmate les brèches. Offre-Moi aussi tout ce qui va bien, depuis la pureté des petits, le courage du jeune homme, la pudeur exquise de la jeune fille, le dévouement de la mère, l'équilibre du père, la bienveillance du vieillard, la patience du malade, l'oblation de l'agonisant et d'une manière générale tous les actes d'amour qui éclosent dans les cœurs humains.

★

Il y a du bon, meilleur que l'on ne croit dans l'âme de beaucoup de tes frères et d'autant plus excellent, que souvent ils ne s'en rendent pas compte. Mais Moi qui vois au tréfonds de chacun et qui les juge tous avec bienveillance et tendresse, Je découvre souvent sous des crassiers de cendres des pépites d'or. A toi de Me les offrir pour que Je puisse les faire valoir. C'est ainsi, par ton geste d'offrande, que l'Amour grandira dans le cœur des hommes et sera finalement vainqueur de la haine.

Ne te décourage pas de vivre, d'agir et de souffrir au nom des autres, connus ou inconnus. Tu ne vois pas ici-bas ce que tu opères, mais Je puis t'assurer que rien n'est perdu de ce que tu fais en rejoignant par l'offrande de ton apport, si modeste soit-il, ma propre prière, ma propre oblation, ma propre action de grâces. Ainsi tu permets à beaucoup d'âmes inconnues cette convergence vers Moi qui, à travers les cahots de leur cheminement terrestre, facilitera, à l'heure venue, leur assomption définitive. Devant cette multitude immense et anonyme, qui découragerait les volontés les plus zélées sans l'appui de ma grâce, Je te donne le moyen de collaborer efficacement à leur spiritualisation, plus sûrement que par le ministère de la prédication ou de la confession. Laisse-Moi faire. C'est Moi qui fixe à chacun le mode de collaboration que J'attends de lui.

Sois de plus en plus un confluent fidèle — insérant en Moi toutes les prières, toutes les activités, tous les gestes de bonté, toutes les joies et toutes les peines, toutes les souffrances et toutes les agonies humaines, pour que, assumées par Moi, elles puissent être purifiées et servir à vivifier le monde.

Le monde actuel compte heureusement beaucoup d'âmes généreuses — beaucoup d'autres qui ne demanderaient pas mieux que de le devenir si elles étaient soutenues et encouragées. Alors elles aideraient les autres à Me rencontrer, à Me reconnaître et à M'entendre. Mes appels seraient mieux écoutés et beaucoup, en se tournant vers Moi dans l'intime de leurs cœurs, trouveraient leur salut et leur épanouissement en Me trouvant Moi-même.

Que l'on perde moins son temps en des réunions stériles et que l'on vienne à Moi plus souvent.

Je suis l'Oblat substantiel. Je me donne totalement à mon Père et le Père se donne totalement à Moi. Je suis en même temps Celui qui se donne et Celui qui reçoit dans un élan d'amour qui lui aussi est substantiel et qui s'appelle l'Esprit Saint. Je voudrais entraîner, assumer tous les hommes dans cet immense et joyeux offertoire. Si Je t'ai choisi, c'est précisément pour que tu rejoignes mon oblation et que tu contribues à y attirer beaucoup de tes frères.

Viens à Moi et tiens-toi en paix devant Moi. Même si tu ne perçois pas mes idées, ma « radiance » t'atteint et te pénètre. Elle influencera ta vie tout entière et c'est là l'essentiel.

Viens à Moi, mais ne viens pas seul. Pense à toutes ces foules dont J'ai eu d'autant plus pitié que Je pouvais distinguer en chacun des éléments qui les composaient les détresses, les soucis, les besoins profonds.

Il n'est aucun membre d'entre elles qui ne M'intéresse, mais Je ne veux rien faire pour elles sans la collaboration de ceux que J'ai spécialement consacrés à leur service.

La tâche est immense — la moisson est cependant abondante — mais les ouvriers, les vrais ouvriers fidèles et avisés, qui mettent au premier plan de leurs préoccupations la recherche par amour de mon règne et de ma sainteté, sont trop peu nombreux. Que ta prière au Père, maître de la moisson, s'insère plus intensément dans la mienne — et tu verras le nombre des apôtres contemplatifs et en même temps éducateurs spirituels grandir et se multiplier. Partout, J'inspire la même demande à des âmes généreuses dans les communautés et dans le monde.

Sans doute, elles ne sont pas suffisantes en quantité celles qui comprennent et qui répondent, mais la qualité de leurs appels compense pour leur petit nombre.

L'essentiel, c'est qu'elles prient en Moi et s'unissent profondément à la prière que Je fais Moi-même en elles.

Considère-toi comme un membre de Moi, rattaché à Moi par toutes les fibres de ta foi et de ton cœur, par toute l'orientation de ta volonté. Agis en membre de Moi, conscient de tes limites personnelles, de ton impossibilité de faire quelque chose de bien efficace par toi seul. Prie en membre de Moi, t'unissant à la prière que je fais Moi-même en toi et t'unissant à la prière de tous tes frères humains. Offre-toi comme un membre de Moi, n'oubliant pas que Je suis sans cesse par amour en étant d'oblation à mon Père et désirant unir dans cet acte d'hommage le maximum d'hommes actuellement sur la terre. Reçois comme un membre de Moi. Mon Père à qui je me donne se donne sans cesse à Moi dans l'unité du Saint-Esprit. Dans la mesure où tu ne fais qu'un avec Moi, tu partages les richesses divines *ad modum recipientis*. Aime comme un membre de Moi, t'efforçant d'aimer tous ceux que J'aime du même amour dont je les aime.

Ce qui compte, ce n'est pas l'éclat, le coup de projecteur, la publicité, c'est la liaison fidèle et généreuse avec Moi.

Que penserais-tu d'un rayon qui se coupe de son soleil,

d'un fleuve qui se détourne de sa source, d'une flamme qui se sépare de son foyer ?

Travaille à mon compte. Tu es mon serviteur. Mieux que cela, tu es membre de Moi, et en réalité tu travailles d'autant plus pour toi que tu agis pour Moi. Rien de ce qui est accompli pour Moi n'est perdu.

Communie souvent à ma pensée éternelle sur toutes choses. Tu ne peux la recevoir intégralement puisqu'elle est infinie, mais cette communion te vaudra quelque lueur ou tout au moins quelque reflet qui balisera ta route ici-bas. L'idée que je possède sur les hommes et les événements des pensées divines pleines d'amour et d'attention t'aidera à les concevoir avec davantage de respect et d'estime. Et puis, souviens-toi qu'un jour tu donneras aux êtres et aux choses de la terre une valeur bien différente de celle que tu leur accordes maintenant.

★

C'est par l'amour que grandit mon Corps mystique. C'est par l'amour que Je récapitule et que J'assume chaque molécule humaine au point de la transfigurer divinement dans la mesure où elle est devenue pure charité. Travaille par ton exemple, par ta parole, par tes écrits à mettre de plus en plus de charité dans le cœur des hommes. Il faut continuellement prendre cela comme objectif de tes prières, de tes sacrifices, de tes activités.

Je mène tout dans ta vie mais J'ai besoin de ta collaboration active pour t'aider à faire librement ce que veut mon Père. Je mène tout dans le monde, mais J'attends patiemment, pour pouvoir effectivement réaliser les desseins du Père, que les hommes acceptent librement de travailler sous l'influence consciente ou inconsciente de mon Esprit.

★

J'attends le monde. J'attends qu'il vienne à Moi librement, non pas seulement physiquement, mais moralement.

J'attends qu'il accepte de Me rejoindre, qu'il unisse sa détresse à celle que J'ai éprouvée en son nom à Gethsémani.

J'attends qu'il unisse les souffrances inséparables de sa condition humaine à celles que J'ai endurées en son nom pendant mon séjour terrestre et surtout pendant ma Passion.

J'attends qu'il unisse sa prière à la mienne, son amour à mon Amour.

J'attends le monde. Qu'est-ce qui l'empêche de venir à Moi et d'abord d'entendre ma voix qui doucement mais inlassablement l'appelle ? C'est le péché qui comme un goudron visqueux obture tous ses sens spirituels, rend son âme opaque aux choses du ciel et englue ses mouvements, alourdissant sa marche. C'est l'esprit superficiel, le manque d'attention, l'absence de réflexion, le tourbillon de la vie, des affaires, des nouvelles, des relations. C'est le manque d'amour et pourtant, le monde en a soif. Il n'a que ce mot à la bouche mais trop souvent son amour n'est que sensualité et égoïsme quand il ne vire pas à la haine.

J'attends le monde pour le guérir, pour le purifier, pour le déterger et rétablir en lui la vraie notion des valeurs...

Mais il Me faut des aides et c'est pourquoi J'ai besoin de toi. Oui J'ai besoin de contemplatifs qui M'aident à éponger les fautes en unissant leur vie de prière, de travail et d'amour à la mienne, en rejoignant par l'offrande généreuse de leurs souffrances providentielles mon oblation rédemptrice. J'ai besoin de contemplatifs qui unissent leurs appels à ma prière pour obtenir les missionnaires et les éducateurs spirituels, pénétrés de mon Esprit, dont le monde a soif inconsciemment.

L'important, ce n'est pas de faire beaucoup mais de faire bien, et pour faire bien, il faut beaucoup d'amour.

Pour devenir saint il faut du courage, car sans toi Je ne veux rien pouvoir faire — et il faut de l'humilité, car sans Moi, tu ne peux rien faire.

Je suis le fleuve qui purifie, qui sanctifie, qui spiritualise et qui, débouchant sur l'océan trinitaire, divinise ce qu'il y a de meilleur dans l'homme régénéré par l'amour.

Les rigoles, les ruisseaux et même les rivières, si elles ne se jettent pas dans le fleuve, se perdent dans les sables, stagnent dans les marécages et forment des marais nauséabonds. Ce qu'il faut, c'est jeter en Moi tout ce que tu fais et tout ce que tu es. Ce qu'il faut aussi, c'est m'amener tous tes frères — leurs péchés pour que Je les pardonne, leurs joies pour que Je les purifie, leurs prières pour que Je les prenne en compte, leurs labeurs pour que Je leur confère valeur d'hommage à mon Père, leurs souffrances pour que Je leur communique puissance rédemptrice.

Confluence ! Mot d'ordre qui seul peut sauver l'humanité car c'est par Moi, avec Moi et en Moi que dans l'unité de l'Esprit Saint est rendue au Père une gloire totale — par l'assomption de tous les hommes.

Oui, Je suis le point Oméga : vers Moi tendent tous les affluents humains, ou tout au moins ils devraient y tendre sous peine de dispersion. Parmi eux, il y a les rivières douces et tranquilles, il y a aussi les torrents qui roulent en cascade et qui dans un jaillissement d'écume, Me rejoignent avec tout ce qu'ils ont ramassé en route — il y a les eaux limpides, toutes bleues ou toutes vertes, il y a les eaux limoneuses apparemment toutes jaunes et toutes sales. Mais au bout de quelques lieues, par l'oxygénation de mon Esprit, tout ce qu'il y a en elles de microbien est purifié — elles deviennent parfaitement saines et salubres — elles peuvent rejoindre les eaux de la mer.

C'est tout ce grand travail qui invisiblement s'opère dans la vie des hommes actuellement sur la terre.

★

Je suis en état de croissance constante au point de vue qualitatif comme au point de vue quantitatif.

Dans cette masse immense d'humanité où Je distingue chacun par son nom et où Je l'appelle avec tout mon amour, Je travaille et J'agis, épiant la moindre réponse à Ma grâce. Chez certains, ma grâce est féconde et intensifie ma présence ; ils vivent dans mon amitié et témoignent de ma réalité et de mon amour parmi leurs frères. Chez d'autres, les plus nombreux, il Me faut attendre longtemps qu'ils Me fassent un signe d'agrément — mais ma miséricorde est inépuisable, et là où Je trouve tant soit peu de bonté et d'humilité, Je pénètre et J'assume.

C'est pourquoi Je suis content que tu ne t'inquiètes pas trop des remous actuels en mon Eglise. Il y a ce qui apparaît — comme le sillage laissé par un navire sur l'océan — il y a plus profondément ce qui est — et qui se joue dans le silence des consciences, compte tenu de toutes les circonstances atténuantes qui excusent bien des attitudes d'opposition.

Sème l'optimisme autour de toi. Certes Je vous demande de travailler, de répandre ma lumière par la parole, les écrits et surtout par le témoignage d'une vie qui exprime la bonne nouvelle d'un Dieu d'amour, récapitulant en Lui tous les hommes pour les assumer — dans la mesure de leur libre adhésion — à une vie éternelle de bonheur et de joie. Mais avant tout et par dessus tout : confiance. Je suis toujours là, l'Eternel Vainqueur.

Ne cherche pas à compliquer ta vie spirituelle. Donne-toi à Moi bien simplement tel que tu es. Sois avec Moi sans nuage, sans bavure, sans ombre. Alors Je pourrai plus facilement grandir en toi et passer par toi.

Ce monde passe et tend vers l'anéantissement — en attendant les nouveaux cieux et les nouvelles terres. Certes, il a, même à titre éphémère, sa valeur. C'est au milieu du monde et de tel monde, de telle époque que Je vous ai voulus et que Je vous ai choisis. Il n'en reste pas moins que tout en le servant pour le sacraliser, vous ne devez pas être englués par lui. Votre mission est autre. Il s'agit pour vous de l'aider à réaliser le plan d'amour qu'a eu mon Père en le créant. C'est parfois mystérieux — mais tu verras un jour à quel point ce dessein était merveilleux.

Ils sont déjà nombreux tes confrères et tes amis qui sont entrés dans l'éternelle vie. Si tu pouvais voir le regard de pitié — oh ! plein d'indulgence — avec lequel ils considèrent ce que tant d'hommes prennent pour des valeurs. Elles ne sont trop souvent que des « trompe-l'œil » transitoires qui cachent à leurs yeux les réalités durables, les seules qui comptent.

Le monde souffre terriblement d'un manque d'éducation spirituelle, et cela en grande partie, par suite de la carence de ceux qui devraient être des guides et des entraîneurs. Mais ne peut être un véritable éducateur spirituel que celui qui humblement a recours à ma Lumière et qui par la contemplation assidue de mes mystères fait passer mon Evangile dans toute sa vie.

J'ai davantage besoin d'apôtres qui soient des contemplatifs et des témoins, que de sociologues ou de théologiens en chambre qui n'ont pas prié leur théologie et qui n'accordent pas leur vie avec ce qu'ils enseignent.

Trop d'hommes, trop de prêtres à l'heure actuelle se croient avec orgueil autorisés à réformer mon Eglise au lieu de commencer par se réformer eux-mêmes et par former autour d'eux humblement des disciples fidèles, non à ce qu'ils pensent, mais à ce que Moi, Je pense.

On te l'a dit et tu as pu le constater, l'humanité actuellement passe par une crise de folie, s'agitant en tous sens, sans aucune idée spirituelle qui l'aiderait à reprendre souffle en Moi et à se stabiliser.

Seul, le quarteron d'âmes contemplatives peut empêcher le déséquilibre profond qui mène à la catastrophe, et retarder ainsi l'heure des grandes expiations. Combien de temps cela va-t-il encore tenir ? Cela dépend de la disponibilité des âmes que J'ai choisies.

J'ai vaincu le monde, le mal, le péché, l'enfer — mais

pour que ma victoire soit patente, il faut que l'humanité accepte librement le salut que Je lui offre.

Tant que vous êtes sur terre, vous pouvez implorer au nom de ceux qui n'y pensent pas, vous pouvez grandir dans mon amitié au nom et en réparation de ceux qui se refusent à Moi et se détournent de Moi, vous pouvez offrir souffrances physiques et morales en union avec les miennes au nom de ceux qui les subissent en esprit de révolte.

Rien de ce que vous Me permettez d'assumer par amour ne devient inutile. Vous ne savez pas où cela porte, mais soyez certains que cela produit des fruits.

Récapitulons *ensemble* tous les efforts et tous les pas même chancelants de l'humanité vers Moi. Unis leurs prières, même informulées aux miennes, leurs démarches même ambiguës, leurs actes de bonté même imparfaits, leurs joies plus ou moins mêlées, leurs souffrances plus ou moins bien acceptées, leurs agonies où sonne l'heure de vérité, plus ou moins conscientes — et surtout leurs morts rejoignant la mienne et ensemble nous déclencherons un surcroît d'attirance vers Celui qui seul peut leur donner le secret de la paix et du véritable bonheur.

Grâce à cette trilogie : récapitulation par prise en charge, union par confluence et déclenchement dans la foi de bien-

faits spirituels invisibles, Je suis victorieux en beaucoup qu
sont eux-mêmes surpris de la simplicité de mes voies et de
la force de ma divine tendresse.

★

Il n'est rien de mesquin, rien de petit quand on travaille
ou qu'on souffre en union avec Moi qui récapitule tous les
hommes. La dimension universelle est essentielle à tout chrétien, a fortiori à tout prêtre. Au-delà de toi, Je vois toutes
les âmes que J'ai liées à la tienne. Je vois leurs misères,
le besoin qu'elles peuvent avoir de mon aide à travers toi ;
J'adapte ton genre de vie à la fois au plan d'amour du
Père et aux nécessités présentes, modifiées par la liberté
humaine. Tout se passe dans la synthèse des desseins divins
qui tirent toujours le bien du mal et font jaillir l'amour,
même là où la méchanceté sinon la sottise humaine semblent
y porter obstacle.

Le monde des chrétiens est trop agité, trop tourné vers
l'extérieur — même celui de beaucoup de prêtres et de
religieuses. Pourtant, c'est dans la mesure où l'on M'accueille,
où l'on Me désire, où l'on essaie de s'ouvrir tout grand à
mon amour, que la vie chrétienne, la vie apostolique sont
remplies de joie et de fécondité.

C'est Moi seul qui fais le bien qui dure, J'ai besoin de
serviteurs et d'instruments qui soient canaux de grâces et
non pas écran à mes bienfaits spirituels par leurs dispersions
et les ambiguïtés de la recherche d'eux-mêmes à travers
leur action.

Certes, Je veux faire de mes fidèles des créateurs, mais avec Moi et selon le plan de mon Père. Qu'ils n'oublient cependant jamais que si Je les appelle à collaborer avec Moi, ils ne sont par eux-mêmes que de pauvres serviteurs.

C'est dans la mesure où ils demeurent en Moi et Me permettent d'agir en eux que leur vie est féconde.

Chacun a son cheminement qui lui est propre. S'il est fidèle — dans la décontraction et la sérénité — nous cheminerons ensemble — et s'il M'invite à rester avec lui, il Me reconnaîtra à travers les détails les plus ordinaires de sa vie et son cœur sera brûlant d'amour pour mon Père et pour les hommes.

Récapitule en toi l'humanité souffrante et jette en Moi toutes les misères du monde. Tu Me permets alors de les faire servir et d'ouvrir bien des cœurs hermétiquement fermés. J'ai tous les moyens pour envahir, pour pénétrer, pour guérir, mais Je ne veux les utiliser qu'avec votre concours. Il y a certes le concours de la parole, de l'activité, du témoignage — mais ce dont J'ai le plus besoin, c'est celui de l'union silencieuse avec Moi dans la joie comme dans la souffrance. Remplis-toi de Moi au point que sans t'en douter, on Me sente en toi et qu'on bénéficie de ma divine influence à travers toi.

Il y a plus de possibilités de bien parmi les jeunes qu'on

ne le croit. Ce dont ils ont besoin, c'est d'être écoutés et pris au sérieux.

Que de lacunes dans leur éducation ! Mais la plupart d'entre eux se posent des questions, ils veulent réfléchir et ils sont heureux d'être compris.

Pense à ces millions de jeunes de vingt ans qui feront le monde de demain et qui Me cherchent plus ou moins consciemment. Offre-les souvent à l'action du Saint-Esprit. Même s'ils ne le connaissent pas très bien, son action lumineuse et douce les pénètrera — et les orientera vers la construction d'un monde plus fraternel, au lieu de vouloir sottement tout casser.

Le temps de créer, d'organiser, de réaliser n'est plus pour toi. Mais Je te réserve une mission cachée dont les plus jeunes bénéficieront et où ils puiseront leur dynamisme. Cette mission intérieure et invisible est de servir de trait d'union entre Moi et eux — de leur obtenir les charismes nécessaires en vue d'une véritable efficacité apostolique. Prends-les tous en bloc, de tout âge, de toute condition, de toutes races, et offre-les joyeusement aux radiations de mon humilité et de mon silence eucharistiques.

Douceur et humilité vont de pair et sans ces deux vertus, l'âme se sclérose d'autant plus que ses qualités humaines et spirituelles la font briller davantage.

A quoi sert à l'homme de faire la vedette, de recueillir publicité, applaudissements et compliments s'il en vient à perdre le secret de son influence bénéfique au service du monde et de l'Eglise ?

Rien n'est plus subtil que le poison de l'orgueil dans une âme de prêtre. Tu l'as toi-même souvent expérimenté. Assume tes confrères, surtout ceux auxquels les succès apparents et éphémères risquent de tourner la tête.

Si au lieu de penser à soi on pensait un peu plus à Moi ! C'est ici que la vie contemplative, fidèlement vécue, apporte une sécurité et un équilibre précieux.

SOUFFRANCE,
CONDITION DE VIE

Oublie-toi. Renonce-toi. Décentre-toi de toi-même. Je t'en donne la grâce. Demande-la moi avec insistance. Je te l'accorderai encore davantage.

Si j'accepte de te couler dans ma souffrance, c'est pour te permettre de travailler efficacement à la conversion, à la purification, à la sanctification de beaucoup d'âmes unies à la tienne. J'ai besoin de toi et il est normal que dans cette phase méritoire de ta vie, qui n'est d'ailleurs qu'une phase éphémère, tu puisses communier à ma Passion rédemptrice. Ce sont les heures les plus fécondes de ton existence. Les années passent vite. Ce qui restera de ta vie, c'est l'amour avec lequel tu auras offert et tu auras souffert.

Sur terre, rien de fécond sans la douleur humblement acceptée, patiemment supportée, en union avec Moi qui la souffre en vous, qui la ressent en vous, qui l'éprouve à travers vous.

Prier, souffrir, offrir, c'est passer sa vie à passer dans ma vie, et permettre ainsi à ma vie d'amour de passer dans votre vie.

Souffre avec ma souffrance. Il y a non seulement les souffrances indicibles de mon séjour sur terre et spécialement de ma Passion, mais toutes les douleurs que Je ressens et que J'assume dans tous les membres de mon corps mystique.

C'est grâce à cette oblation que l'humanité se purifie et se spiritualise. A toi d'entrer dans le jeu de mon amour en communiant par le dedans à ma souffrance rédemptrice.

Les trois chers apôtres que J'avais choisis, triés sur le volet, qui avaient été les témoins de ma gloire sur le Thabor, s'étaient endormis pendant que Je suais du sang à Gethsémani.

Il ne faut pas juger de la fécondité spirituelle d'après des critères humains.

Je veux que ton amour soit plus fort que ta souffrance ; ton amour pour Moi qui en ai besoin pour permettre à la mienne d'être efficace ; ton amour pour les autres, en faveur de qui tu déclenches par elle mon action salvatrice.

Si tu aimes passionnément, ta souffrance te semblera plus supportable et tu M'en diras merci. Tu M'aides plus que tu ne le penses, mais plus tu mettras d'amour pour souffrir ce que Je te donne à souffrir, plus ce sera Moi qui souffrirai en toi.

Ceux qui souffrent unis à Moi sont les premiers missionnaires du monde.

Si tu voyais le monde comme Je le vois par le dedans, tu te rendrais compte de la nécessité de trouver ici-bas des êtres de bonne volonté en qui Je puisse continuer à souffrir et à mourir pour spiritualiser et vivifier l'humanité.

Devant la somme d'égoïsme, de luxure, d'orgueil qui rend les âmes opaques à ma grâce, la prédication, le témoignage même ne suffisent plus : il faut la croix.

Pour avoir la force de faire un sacrifice quand l'occasion se présente dans la journée, ne regarde pas ce dont le sacrifice te prive, regarde-Moi, et aspire la force que Je suis prêt à t'accorder par mon Esprit.

Sentir ma présence et ma paix n'est pas nécessaire, c'est pourquoi Je permets parfois l'épreuve spirituelle et cette sécheresse pénible, condition de purification et de mérite. Mais avoir une perception sensible de ma présence, de ma bonté, de mon amour, c'est là un encouragement précieux qu'il ne faut pas mépriser. C'est pourquoi tu as le droit de le désirer et de Me le demander. Ne te crois pas plus fort que tu n'es. Sans cet encouragement, aurais-tu longtemps le courage de tenir ?

Viens à Moi avec confiance. Je sais mieux que toi ce qu'il y a en toi puisque j'y habite et que tu es quelque chose de Moi. Appelle-Moi au secours : Je te soutiendrai et tu apprendras à soutenir les autres.

Sois fidèle à M'offrir quelques sacrifices volontaires — au moins trois fois par jour — pour la gloire des trois personnes divines. C'est peu de chose mais ce peu me sera extrêmement précieux si tu y es fidèle — et te vaudra un plus grand secours de ma grâce à l'heure d'une plus grande souffrance.

Que ton premier réflexe quand tu souffres soit de t'unir à Moi qui éprouve en toi-même la douleur que tu ressens. Que ta seconde réaction soit de l'offrir avec tout l'amour dont tu te sens capable en la joignant à mon oblation incessante. Et puis, ne pense pas trop à toi qui ne fais que passer... Pense à Moi, qui ne cesse d'assumer jusqu'à la fin des temps les souffrances actuelles des hommes sur la terre mais qui ne peux utiliser au profit de tous que celles où passe au moins un petit filet d'amour.

Quand tu te sens pauvre et chétif, viens davantage auprès de Moi. Tu n'auras peut-être pas de belles idées, mais mon Esprit t'envahira et ce que tu auras assimilé, à ton insu, surgira au moment opportun pour le plus grand bien de beaucoup d'âmes.

★

Redis-Moi, avec toute l'ardeur dont tu te sens capable, ton désir de Me faire aimer.

Redis-Moi ton désir de ne vivre que pour Moi au service de tes frères et d'être possédé par Moi.

Sois généreux dans cette « quête » de Moi, car elle présuppose un minimum d'ascèse. Quoi qu'on dise, sans ce minimum, il n'y a pas de vie contemplative possible — et sans vie contemplative, il n'y a pas de vie missionnaire authentique et féconde. C'est alors la stérilité, l'amertume, la déception, l'obscurcissement de l'esprit, l'endurcissement du cœur... et la mort.

Mes voies sont parfois déconcertantes, Je le sais, mais elles transcendent la logique humaine. C'est dans l'humble soumission à ma conduite que tu trouveras de plus en plus la paix et que, par surcroît, la fécondité mystérieuse te sera accordée.

Etre, quand Je le veux, diminué, laissé de côté, inutilisé ne signifie pas être inutile, bien au contraire. Jamais Je n'opère autant que lorsque mon serviteur ne voit pas ce que Je fais par lui.

Pense dans la mesure où tu le peux à toutes les souffrances humaines actuellement ressenties sur la terre. La plupart de ceux qui les éprouvent n'en saisissent pas le sens, ne comprennent pas le trésor de purification, de rédemption, de spiritualisation qu'elles constituent. Relativement rares sont ceux qui ont reçu la grâce de comprendre la puissance salvifique de la douleur quand elle est coulée dans la mienne.

Par tous les souffrants de la terre, Je suis en agonie jusqu'à la fin du monde ; mais que mes apôtres ne laissent pas inemployé tout cet effort de l'oblation humaine qui permet à mon oblation divine de déclencher en faveur de l'humanité la pluie de bienfaits spirituels dont elle a tant besoin.

Je t'avais averti que tu aurais beaucoup à souffrir — que Je serais là près de toi, en toi — et que tu ne souffrirais pas au-dessus de tes forces soutenues par ma grâce.

N'est-ce pas Moi qui t'ai soutenu en te suggérant sans cesse ce triptyque : « J'assume... Je rejoins... Je déclenche... »

Oui, assumer en toi toutes les souffrances humaines, même avec ce qu'elles peuvent avoir d'ambigu — toutes les insomnies, toutes les agonies, toutes les morts — puis les unir aux miennes ; selon le principe de la confluence, rejoindre le grand fleuve purificateur et divinisateur que Je suis pour le monde — enfin être bien convaincu que par le fait de cette jonction, tu déclenchais pour de nombreux frères ignorés des multiples bienfaits spirituels.

Que d'âmes inconnues sont apaisées, consolées, réconfortées. Que d'esprits tu peux ainsi ouvrir à ma Lumière, que de cœurs, à ma Flamme — et qui ne se douteront jamais d'où leur vient ce supplément de grâce.

Peut-on être pleinement prêtre sans être tant soit peu hostie ? L'esprit d'immolation fait partie intégrante de l'esprit sacerdotal — et le prêtre qui n'aurait pas compris cela n'aura qu'un sacerdoce mutilé. Se révoltant à la première épreuve, il ira de frustration en amertume et négligera le trésor que Je mettais entre ses mains. Seul le sacrifice paie. Sans lui, l'activité la plus généreuse devient stérile. Certes, ce n'est pas tous les jours Gethsémani — ce n'est pas tous les jours le Calvaire — mais le prêtre digne de ce nom doit savoir qu'il rencontrera l'un et l'autre, sous une forme adaptée à ses possibilités, à certains moments de son existence. Ces instants sont les plus précieux et les plus féconds.

Ce n'est pas avec de beaux sentiments que l'on sauve le monde, c'est en communiant à tout MOI, y compris à mon oblation rédemptrice.

Les dernières années, où la vieillesse avec son cortège d'infirmités limite le plus l'être humain, sont les plus fécondes pour le service de l'Eglise et du monde. Accepte cet état et apprends à ceux qui t'entourent qu'ils possèdent là le secret d'une puissance spirituelle insoupçonnée.

Qui souffre avec Moi gagne à tous coups.

★

Qui souffre tout seul est bien à plaindre. C'est pourquoi Je t'ai souvent demandé de récapituler toutes les souffrances humaines et de les unir aux miennes pour qu'elles puissent acquérir de la valeur et de l'efficacité. C'est le grand moyen par cette confluence d'en obtenir le soulagement.

Loin de fermer ton cœur sur toi-même, ta souffrance doit l'ouvrir sur toutes celles que tu rencontres et aussi sur toutes les misères humaines que tu ne soupçonnes même pas. C'est par cette prise en charge et cette oblation que tu accomplis le plus sûrement ton office de prêtre. Il n'y a là aucune ambiguïté possible, aucune recherche de toi-même — mais disponibilité totale à la sagesse de mon Père.

Si la prière est la respiration de l'âme, l'étouffement marque bien l'absence d'appel à l'oxygène divin que l'on puise en Moi.

Depuis près d'un mois tu es souvent sur la croix, mais tu as pu remarquer que malgré les petits et les grands inconvénients qui en résultent, ma présence ne t'a pas manqué, achevant en ta chair ce qui manque à ma Passion pour mon Corps qui est l'Eglise. Tu n'as guère souffert au-delà du supportable, et si tu te sens, surtout à certains moments, un peu diminué, Je supplée en toi à tes insuffisances : bien des choses s'arrangent mieux que si tu t'en occupais toi-même.

J'aime ces longues heures d'insomnie où tu t'efforces de

t'unir à ma prière en toi. Même si tes idées sont confuses, si tu as du mal à retrouver les mots pour les exprimer, Je lis au fond de toi ce que tu veux Me dire et Je te parle silencieusement à ma manière.

Il te faut en ce moment beaucoup de calme, de compréhension et de bonté. Que ce soit le souvenir que l'on garde de toi.

Tu es à l'heure où l'essentiel prend la place de l'urgent, et a fortiori de l'accessoire. Or l'essentiel, c'est Moi, et ma liberté d'action dans les cœurs des hommes.

Il peut être bon de rappeler que ces lignes ont été écrites par le Père deux jours avant sa mort, survenue dans la nuit du 22 au 23 septembre 1970.

SOIS HUMBLE

Oublie-toi. Renonce à toi. Intéresse-toi à Moi et tu te retrouveras à ta place sans t'être cherché. Ce qui compte, c'est la marche en avant, la montée de mon Peuple. Ce qui compte, c'est l'ensemble et chacun dans l'ensemble. Laisse-Moi mener ma grande affaire comme je l'entends. J'ai encore bien plus besoin de ton humilité que de ton action extérieure. Je t'utiliserai comme bon me semble. Tu n'as aucun compte à me demander et Je n'ai aucun compte à te rendre. Sois souple. Sois disponible. Sois entièrement à ma merci, aux aguets de ma volonté. Je te montrerai au fur et à mesure ce que J'attends de toi. Tu ne verras pas sur-le-champ à quoi cela sert, mais par toi je travaillerai, on me sentira en toi de plus en plus et souvent, sans que tu t'en doutes, Je ferai passer par toi ma lumière et ma grâce.

Les difficultés humaines viennent presque toutes de l'orgueil humain. Demande-Moi la grâce du détachement de toutes les vanités humaines et tu te sentiras plus libre pour venir à Moi et te remplir de Moi. C'est tellement rien tout ce qui n'est pas Moi — et souvent les dignités font écran à ma présence, dans la mesure où ceux qui en sont revêtus sont comme leurs prisonniers.

J'aime quand tu te sens « rien », « de peu d'importance » — quand physiquement tu te sens faible, anéanti. Ne crains rien, c'est Moi qui suis alors ton remède, ton secours et ta force. Tu es entre mes mains. Je sais où je te mène.

Je te conduis par l'humiliation. Accepte-la avec amour et confiance. C'est le plus beau cadeau que Je puisse te faire. Même et surtout si elle est acide, elle comporte tellement d'éléments de fécondité spirituelle que si tu voyais les choses comme Je les vois, tu ne voudrais pas être moins humilié. Si tu savais ce que tu déclenches par tes humiliations unies aux miennes ! Le grand œuvre d'amour s'opère à coups de souffrances, d'humiliations et de charités oblatives. Le reste est si facilement illusion ! Que de temps perdu, que de peines gaspillées, que de travaux en pure perte, parce que pourris par le ver de l'orgueil ou de la vanité !

Plus tu Me verras agissant par toi et recevant dans les autres ce que Je t'inspire de leur dire, plus ton influence sur eux s'enrichira et plus tu te diminueras dans ton opinion sur toi-même. Tu penseras : « Ce n'est pas le fruit de mon effort personnel ; Jésus était là en moi. C'est à Lui que doit en revenir le mérite et la gloire. »

126

★

Ne t'inquiète pas du ralentissement de certaines de tes facultés, la mémoire par exemple. Ce n'est pas sur leur intensité que je juge la valeur des hommes, et mon amour est là qui supplée aux déficiences et même aux défaillances humaines. Cela fait partie des limitations imposées par l'âge à la nature humaine, et te fait mieux comprendre la contingence de ce qui passe et donc de ce qui est accessoire.

Il est bon aussi que tu te rendes compte avec humour que de toi-même tu n'es rien et tu n'as droit à rien. Utilise joyeusement le grand peu que je te laisse, en pensée de gratitude pour les moyens même réduits qui continuent à t'être accordés. Rien de ce qui t'est essentiel pour remplir jour après jour la mission que je te confie ne te sera enlevé — mais tu l'utiliseras d'une manière plus pure parce que plus conscient de la gratuité absolue et de la relative précarité des dons mis à ta disposition.

Il est normal que tu sois parfois incompris, que tes intentions les plus droites soient déformées et qu'on t'attribue des sentiments ou des décisions qui ne viennent pas de toi. Reste en paix et ne te laisse affecter par rien de ce genre. Il en a été de même pour Moi, et cela fait partie de la rédemption du monde.

★

Sois doux. Les occasions d'affirmer ton bon droit peuvent être nombreuses, mais la logique divine n'est pas la logique humaine. Douceur et patience sont les enfants du véritable amour qui découvre toujours les raisons atténuantes et rétablit la justice au profit de l'équité véritable.

Communie souvent à ma douceur. Ma suavité n'est pas mièvrerie. Mon Esprit est à la fois onction et force, bonté et plénitude de puissance. Rappelle-toi : bienheureux les doux, car ils possèderont la terre et ils garderont toujours la possession d'eux-mêmes. Mieux encore, ils Me possèdent déjà et peuvent plus facilement Me révéler aux autres.

Mon degré de radiance dans une âme dépend de l'intimité de ma présence. Or Je ne suis jamais là qu'autant que Je rencontre dans un cœur d'homme ma douceur et mon humilité. C'est dans la mesure où tu renonces à toute supériorité que tu Me permets de grandir en toi — ce qui, tu le sais, est le secret de toute vraie fécondité spirituelle dans le domaine de l'invisible. Demande-Moi d'être humble comme Je désire que tu le sois, sans recherche de coquetterie, mais en toute simplicité.

L'humilité facilite la rencontre de l'âme avec son Dieu et donne une nouvelle clarté sur tous les problèmes de la vie courante. Je deviens vraiment le centre de ta vie à ce moment-là. C'est pour Moi que tu agis, que tu écris, que tu parles et que tu pries. Ce n'est plus toi qui vis, c'est Moi qui vis en toi. Je deviens TOUT pour toi et tu Me retrouves dans tous ceux avec qui tu as affaire. Ton accueil est alors plus bienveillant, ta parole est plus porteuse de ma pensée, tes écrits sont davantage l'expression fidèle de mon esprit — mais combien il faut te déprendre de ton moi !

Que ton humilité soit loyale, confiante et constante. Demande M'en la grâce. Plus tu seras humble, plus tu accéderas à ma Lumière — et plus aussi tu la répandras autour de toi.

Sans partager encore la plénitude de la joie éternelle qui sera la tienne, tu peux dès maintenant et de plus en plus en faire jaillir des reflets en ton âme et les faire resplendir autour de toi.

Sois de plus en plus un serviteur de ma bonté, de mon humilité, de ma joie.

J'ai bien plus besoin de tes humiliations que de tes succès. J'ai bien plus besoin de tes renoncements que de tes satisfactions. Comment t'enorgueillir de ce qui ne t'appartient pas ? Tout ce que tu es, tout ce que tu as ne t'est que prêté comme les talents de l'Evangile. Ta collaboration elle-même, si précieuse à mes yeux, n'est que le fruit de ma grâce — et quand Je récompenserai tes mérites, ce sont, en vérité, mes dons que Je couronnerai. Ne t'appartiennent en propre que tes erreurs, tes résistances, tes ambiguïtés — que peut éponger ma miséricorde inépuisable.

**FAIS-MOI
CONFIANCE**

Laisse-Moi faire. Tu auras toujours les lumières et les secours nécessaires, et cela d'autant plus que tu rendras intense ta fusion de volonté avec Moi. N'aie pas peur. Je t'inspirerai en temps utile les solutions de mon Cœur et je t'accorderai les moyens même temporels de les réaliser. Ne trouves-tu pas que c'est bon d'œuvrer ensemble ?

Tu as encore beaucoup à travailler pour Moi — mais je serai ton inspiration, ton soutien, ta lumière et ta joie. N'aie qu'un désir : que je puisse me servir de toi comme Je l'entends sans avoir de comptes à te rendre, ni t'expliquer pourquoi. Cela, c'est le secret du Père et de notre plan d'amour. Ne t'inquiète ni des contradictions, oppositions, incompréhensions, calomnies, ni des obscurités, brumes, incertitudes : tout cela vient et passe, mais tout cela sert à fortifier ta foi et à te donner l'occasion de féconder ma rédemption au profit de ton innombrable postérité.

Je veux que ta vie soit un témoignage de confiance. Je suis Celui qui ne déçoit jamais et donne toujours plus que ce qu'Il promet.

Je suis là et je ne t'abandonne pas,

133

— d'abord parce que Je suis l'Amour —
si tu savais à quel point tu peux être aimé !

— et puis parce que Je me sers de toi beaucoup plus
que tu ne le penses.

Parce que tu te sens faible, tu es fort de ma Force, puissant de ma Puissance.

Ne compte pas sur toi, compte sur MOI.

Ne compte pas sur ta prière. Compte sur Ma Prière —
la seule qui vaille. Unis-toi à elle.

Ne compte pas sur ton action, ni sur ton influence.
Compte sur mon action et sur mon influence.

N'aie pas peur. Fais-Moi confiance.

Soucie-toi de mes soucis.

Quand tu es faible, pauvre, dans la nuit, en agonie, sur
la croix... offre mon offrande essentielle, incessante, universelle.

Unis ta prière à ma prière. Prie avec ma prière. Unis ton
travail à mes travaux, tes joies à ma Joie, tes peines, tes
larmes, tes souffrances aux miennes. Unis ta mort à ma
mort.

Bien des choses sont « mystère » pour toi à présent, qui
seront lumière et motif d'action de grâces dans la gloire.
Mais c'est dans ce clair obscur de la foi que se font les
options en ma faveur et que s'acquièrent les mérites dont
Je serai Moi-même l'éternelle récompense.

Désire que tout le monde M'aime. Tes actes de désir
valent tous les apostolats.

Les années qui te restent à vivre sur la terre ne seront pas les moins fécondes. C'est un peu comme l'automne, la saison des fruits et des belles teintes des feuilles qui vont tomber, c'est un peu comme la splendeur des couchers du soleil avant qu'il ne disparaisse à l'horizon. Mais toi, c'est en Moi que tu disparaîtras de plus en plus, c'est dans l'océan de mon amour que tu trouveras ta place éternelle, c'est dans ma vie de gloire que tu inséreras ton âme baignée de ma lumière.

Sois de plus en plus disponible. Aie confiance. Je t'ai conduit par des chemins apparemment déconcertants mais Je ne t'ai jamais abandonné et Je me suis servi de toi à ma façon pour réaliser le grand et beau dessein d'amour que Nous avons tissé de toute éternité.

★

Crois bien que Je suis la douceur même et la bonté — ce qui ne m'empêche pas d'être juste — car Je vois les choses en profondeur dans leur dimension exacte, et je puis mesurer mieux que personne à quel point vos efforts, si petits soient-ils, sont méritoires. C'est pourquoi Je suis également doux et humble de cœur, plein de tendresse et de miséricorde.

Ah ! que l'on n'ait pas peur de Moi. Prêche la confiance, l'optimisme, et tu récolteras dans les âmes de nouveaux élans de générosité. La crainte excessive attriste et resserre. La joie confiante épanouit et dilate.

★

Demande avec foi, avec force, avec même une confiante insistance. Si tu n'es pas exaucé sur l'heure de la manière dont tu le concevais, tu le seras un jour prochain de la manière dont tu l'aurais désiré si tu voyais les choses comme Je les vois.

Demande pour toi, mais aussi pour les autres. Fais passer dans l'intensité de tes appels l'immensité des détresses humaines. Prends-les avec toi et représente-les auprès de Moi.

Demande pour l'Eglise, pour les Missions, pour les vocations.

Demande pour ceux qui ont tout et pour ceux qui n'ont rien, pour ceux qui sont tout et pour ceux qui ne sont rien, pour ceux qui font tout (ou qui croient tout faire) et pour ceux qui ne font rien ou qui croient ne rien faire.

Prie pour ceux qui sont fiers de leur force, de leur jeunesse, de leurs talents, et pour ceux qui se sentent diminués, limités, usés.

Prie pour les bien portants qui ne se rendent même pas compte du privilège qu'ils ont d'avoir un corps et un esprit en bon état de marche, et pour les infirmes, les caducs, les pauvres vieux qui sont dominés par ce qui ne va pas.

Prie surtout pour tous ceux qui meurent ou qui vont mourir.

Après chaque tempête, le silence revient. Ne suis-Je pas Celui qui apaise les flots déchaînés quand on M'en prie ? Confiance donc toujours et avant tout. Quand vous souffrez, pensez que Je souffre avec vous, ressentant en Moi-même ce que vous éprouvez. Je vous envoie toujours mon Esprit à ce moment-là. Si vous lui faites bon accueil, il vous aide à faire passer beaucoup d'amour à travers cette épreuve et vous procurez à cette croix son maximum d'efficacité rédemptrice. Encore une fois, confiance, Je suis en toi, tissant les fils de ta vie éternelle, les entremêlant selon les desseins du Père avec tous ceux de tes frères actuellement sur la terre. La tapisserie ne sera découverte dans toute sa beauté que lorsqu'elle sera retournée et déployée dans le Ciel.

La confiance est la forme d'amour qui m'honore et Me touche le plus.

Rien ne Me peine comme de sentir un relent de défiance dans un cœur qui veut M'aimer.

N'épluche donc pas tant ta conscience. Cela risque de l'écorcher. Demande humblement à mon Esprit de t'éclairer et de t'aider à chasser tous ces miasmes qui t'empoisonnent. Ne sais-tu pas de science certaine que Je t'aime ? Cela ne devrait-il pas te suffire ?

Je te veux joyeux à mon service. La joie des serviteurs honore le Maître — et la joie des amis honore le grand Ami.

J'ai pour toi des bontés à chaque instant. Tu ne t'en aperçois que de temps en temps, mais mon affection pour toi est constante et tu serais émerveillé si tu pouvais voir tout ce que Je fais pour toi... Même quand il y a une souffrance, tu n'as rien à craindre. Je suis toujours là — et ma grâce te soutient pour la faire valoir au profit de tes frères. Et puis il y a toutes les bénédictions dont Je te comble au long du jour, les protections dont Je t'entoure, les idées que Je fais germer dans ton esprit, les sentiments de bonté que Je t'inspire, la sympathie et la confiance que Je répands autour de toi et bien d'autres choses encore que tu ne soupçonnes pas.

★

Accrois sous l'influence de mon Esprit à la fois la *con-*

fiance en ma puissance miséricordieuse et le *désir* de l'appeler à ton secours et au secours de l'Eglise.

C'est parce que tu ne Me redis pas assez ta confiance en ma miséricorde et en ma tendresse pour toi que tu n'obtiens pas davantage. La confiance qui ne s'affirme pas s'affaiblit et s'évapore.

Tu as raison de réagir contre le pessimisme des conversations. L'Histoire est là qui montre à quel point Je puis faire surgir le bien d'au milieu du mal. Il ne faut pas juger d'après les apparences. Mon Esprit agit de façon invisible au centre des cœurs. C'est souvent au milieu des grandes épreuves, des catastrophes que mon Œuvre s'opère et que mon Royaume intérieur s'étend. Oui, rien ne va mieux que lorsque cela va mal — car rien n'arrive que Je ne puisse supporter avec vous et faire valoir pour mon peuple.

★

Donne-toi à Moi avec confiance. Ne cherche même pas à savoir où Je te conduis. *Serre-toi contre Moi* et va de l'avant sans hésiter, les yeux fermés, abandonné à Moi.

Range-toi avec confiance derrière mon Vicaire, le successeur de Pierre. Jamais Je ne te reprocherai d'avoir essayé de vivre et de penser en symbiose avec lui, car au-delà de lui, c'est Moi qui suis là et qui enseigne ce que l'humanité peut assimiler dans les temps actuels.

Rien n'est plus dangereux que de se couper, même intérieurement, de la Hiérarchie. On se prive de la « gratia capitis » ; peu à peu c'est l'obscurcissement de l'esprit, l'endurcissement du cœur : suffisance, orgueil et bientôt... catastrophe.

Fais-moi de plus en plus confiance. Ta lumière, c'est Moi ; ta force, c'est Moi ; ta puissance, c'est Moi. Sans Moi, tu ne serais que ténèbre, faiblesse et stérilité. Avec Moi, il n'est aucune difficulté dont tu ne puisses sortir vainqueur — mais n'en tire pas gloire ou vanité. Tu t'attribuerais indûment ce qui ne t'appartient pas. Agis plus souvent en dépendance de Moi.

Fais-Moi confiance. Si parfois J'ai besoin de ta souffrance pour compenser bien des ambiguïtés et des résistances humaines, n'oublie pas que tu ne seras jamais éprouvé au-delà de tes forces soutenues par ma grâce. « *Mon joug est suave et mon fardeau léger* ». C'est par amour pour toi et pour le monde que Je t'associe à ma rédemption — mais Je suis avant tout tendresse, délicatesse, bonté.

Je te donnerai toujours les éléments matériels (santé, ressources, collaborations, etc.) et spirituels (don de la parole, de la pensée et de la plume) dont tu auras besoin pour accomplir la tâche que Je te confie. Tout cela au jour le jour — en dépendance de Moi — qui seul peux féconder ton activité et tes souffrances.

Conduis ceux que Je te confie dans les voies de l'amour très simple et très abandonné à ma tendresse divine. Si les âmes avaient davantage confiance en Moi et Me traitaient avec affection, respectueuse certes, mais profonde, comme elles se sentiraient plus aidées en même temps que plus aimées ! Je suis à l'intime de chacune d'elles, mais combien peu se soucient de Moi, de ma présence, de mes désirs, de mes apports. Je suis Celui qui donne et veut donner de plus en plus — mais il est nécessaire que l'on Me désire et que l'on compte sur Moi.

Je t'ai toujours conduit et ma main, mystérieusement, t'a soutenu et t'a empêché, bien souvent à ton insu, de trébucher. Donne-Moi donc ta confiance totale, dans une grande humilité et dans la conscience lucide de ta faiblesse — mais aussi dans la foi en ma puissance.

★

Communie fréquemment à mon éternelle jeunesse. Tu en seras toi-même surpris quand tu Me verras au paradis. Non seulement Je suis éternellement jeune, mais je rajeunis tous les éléments de mon corps mystique. Non seulement, Je suis la Joie, mais Je réjouis d'une joie ineffable toutes mes cellules vivantes. Reste jeune d'âme et quoi qu'il arrive, redis-toi bien : « Jésus qui m'aime est toujours présent. »

ADHÈRE
A MA PRIÈRE

Adhère à ma prière. Elle est constante, elle est puissante, elle est adéquate à tous les besoins de la gloire de mon Père et de la spiritualisation de l'humanité.

Jette ta prière dans la mienne. Fais-toi prière avec Moi. Je connais mieux que toi tes intentions. Confie-les Moi en bloc. Unis-toi à ce que Je demande — unis-toi aveuglément comme celui qui ne sait pas se blottit contre celui qui sait, comme celui qui ne peut rien se blottit contre celui qui peut tout.

Sois la goutte d'eau qui se perd dans le jet puissant de la Fontaine Vivante qui jaillit jusqu'au Cœur du Père. Laisse-toi assumer, laisse-toi emporter, et reste en paix. Tu fais plus de bien par ton adhérence à Moi que par des efforts multipliés et stériles parce que solitaires.

Tu serais étonné si tu voyais ce que tu déclenches en te jetant en Moi et en te gardant uni à ma prière dans l'obscurité de la foi.

Je ne t'empêche pas d'avoir des intentions et de me les faire connaître, mais surtout communie aux miennes. Puisque tu es un tout petit élément de Moi, intéresse-toi davantage à mes intentions qu'aux tiennes.

Je suis la prière substantielle — adoration adéquate à l'immensité du Père — louange égale à ses infinies perfections (personne ne connaît le Père comme le Fils), action de grâces en rapport avec sa totale bonté — oblation ex-piatrice pour toutes les fautes humaines — demande cons-ciente et lucide pour tous les besoins temporels et spirituels de toute l'humanité.

Je suis prière universelle correspondant à tous les devoirs de l'univers vis-à-vis du Père, univers matériel, univers humain,

— correspondant à toutes les nécessités de la création et de toutes les créatures,

— priant à travers tout et à travers tous — et ayant voulu avoir besoin de votre union, de votre adhésion au moins de principe pour ajouter le caractère méritoire humain à ma prière divine.

Si vous saviez comme je cherche cet apport méritoire de mes membres qui donne à la prière que Je suis ce plérôme, ce complément que Je leur offre de pouvoir Me donner !

★

Unis-toi à ma prière en toi, dans les autres, dans l'Eucharistie !

En toi, puisque Je suis là, ne cessant d'élever vers mon Père tout ce que tu es, tout ce que tu penses, tout ce que tu fais — en hommage d'amour, d'adoration, d'action de grâces. Je suis disposé à drainer toutes tes demandes et à les prendre à mon compte. Tu pourrais obtenir tant de choses si tu voulais bien insérer ta prière dans la mienne !

Dans les autres, car Je suis aussi d'une façon unique

mais non uniforme dans chacun de tes frères humains, en tous ceux qui t'entourent, en tous ceux qui apparemment sont loin mais qui par Moi te sont si proches.

Dans l'Eucharistie, car Je suis là dans la plénitude de mon humanité en état d'oblation au profit de tous ceux qui veulent bien mêler leur offrande à la mienne.

★

Centre de tous les cœurs humains, Je donne leur pleine dimension à tous les appels, de quelque point de l'horizon qu'ils viennent.

Je suis là, trésor vivant capable de transformer en élans divins, purifiés de toutes scories humaines, les apports de chacun.

Je suis là comme un serviteur, mais un serviteur à qui l'on ne demande rien et qu'on laisse de côté.

Je me suis fait hostie pour être au milieu de vous comme Celui qui sert. Fais-Moi valoir — d'autant plus que vous n'avez que le temps de votre passage ici-bas pour le faire.

★

Si tu savais ta puissance en Me proposant telle intervention pour laquelle Je n'attendais que ton appel ! Tu constateras ainsi que tu rends plus de service dans l'inactivité extérieure apparente et que ce qui compte avant tout, c'est mon activité intérieure suscitée par votre communion d'âme avec Moi. Les désirs sont déjà des prières et les prières ne valent que ce que valent les désirs comme objectif et comme intensité.

Rares sont ceux qui M'appellent en priant. Ce sont trop souvent des récitations labiales qui deviennent vite fastidieuses aussi bien pour Celui à qui elle sont censées s'adresser que pour celui qui les profère sans attention ! Que d'énergies gaspillées, que de temps perdu, alors qu'un peu d'amour suffirait pour animer tout cela !

★

Crie bien fort au fond de ton cœur ton désir de ma venue. C'est le cri des premiers chrétiens : *Maran Atha*.

Appelle-Moi, pour que Je vienne davantage et plus profondément en toi.

Appelle-Moi à la sainte messe afin que par la Communion Je puisse pénétrer plus intensément en toi et t'insérer davantage en Moi.

Appelle-Moi à l'heure du travail pour que mes pensées influent davantage sur ton esprit et guident ton comportement.

Appelle-Moi à l'heure de la prière pour que Je t'introduise dans le dialogue incessant au sein de mon Père. Celui qui prie en Moi et en qui Je prie porte beaucoup de fruit.

Appelle-Moi à l'heure de la souffrance pour que ta croix soit la mienne et qu'ainsi Je t'aide à la porter vaillamment et patiemment.

Appelle-Moi en Me nommant intérieurement par mon Nom prononcé avec toute la ferveur dont tu te sens capable et en M'entendant te répondre « Mon cher enfant, Je suis là et J'ai l'ardent désir Moi aussi de venir plus avant chez toi. »

Appelle-Moi en union avec tous ceux qui M'appellent parce qu'ils M'aiment ou qu'ils éprouvent le besoin de ma présence ou de mon aide.

Appelle-Moi au nom de ceux qui ne pensent pas à M'appeler parce qu'ils ne Me connaissent pas, qu'ils ne savent pas que sans Moi leur vie risque d'être stérile, ou qu'ils ne veulent pas.

Où tu ne peux être, ta prière agit.

Tu peux au loin faire épanouir une conversion, éclore une vocation, soulager une souffrance, assister un mourant, éclairer un responsable, pacifier un foyer, sanctifier un prêtre.

Tu peux faire penser à Moi, faire jaillir un acte d'amour, faire grandir la charité dans un cœur, repousser une tentation, apaiser des colères, adoucir des duretés.

Que ne peut-on opérer dans l'invisible de mon Corps mystique ! Vous ne savez pas les connexions mystérieuses qui vous unissent les uns aux autres et dont Je suis le Centre.

Mets-toi sous l'influence de l'Esprit Saint — et maintenant, glisse en Moi pour faire oraison dans l'adoration du Père. Habite ainsi ma prière — mais sois-y actif par la volonté aimante et humble de t'unir à ma louange. Ton intelligence ne peut le comprendre. Comment pourrais-tu, toi qui n'es rien, posséder l'Infini, mais par Moi, avec Moi et en Moi, tu rends au Père un hommage plénier.

Reste ainsi silencieusement sans rien dire... Rends par Moi cet hommage au Père en ton nom mais aussi au nom de tous tes frères — en union avec les malades, les infirmes, tous ceux qui souffrent et qui éprouvent la misère du monde sans Dieu — en union avec toutes les âmes consacrées qui vivent dans la contemplation et la charité vraie le don plénier qu'elles M'ont fait d'elles-mêmes. Rends-le aussi au nom de tous les hommes qui ne Nous connaissent pas, qui sont indifférents, agnostiques ou hostiles. Tu ne sais jamais la lueur que peut opérer dans une âme même apparemment fermée, un hommage ou un appel lancé à leur place.

Il en est tant qui s'imaginent que leur dynamisme naturel, leur intelligence déliée, leur force de caractère leur permettront d'arriver à leurs fins. Les malheureux ! Combien grande sera leur déception et souvent leur révolte à leur première défaillance...

Je ne déçois jamais ceux qui se fient à Moi. Pourquoi demandes-tu si peu ? Que ne peux-tu obtenir !

Je suis Celui qui prie en toi et draine tes détresses comme tes besoins pour les présenter au Père.

Je suis Celui qui supplée à tes insuffisances et qui, en t'envoyant mon Esprit, fait grandir ma charité en ton cœur.

Je suis le tendre Ami toujours présent, toujours miséricordieux, toujours prêt à te pardonner et à te serrer sur mon Cœur.

Je suis Celui qui un jour viendra te chercher pour t'assumer en Moi et te faire partager avec tes multiples frères les joies de la vie trinitaire.

Quand tu pries, que ce soit avec une immense confiance à la fois en ma toute-puissance et en ma miséricorde inépuisable. Ne pense jamais : « Cela est impossible... Il ne pourra Me l'accorder... ». Si tu savais à quel point Je désire que l'ivraie soit arrachée de mon champ, mais pas trop vite. Vous risqueriez d'arracher le blé qui pousse en même temps que les mauvaises herbes. Un jour viendra où vous moissonnerez dans la joie, où vainqueur du mal et du Malin, Je vous aspirerai tous en Moi pour vous faire partager le bonheur de votre unité, d'autant plus goûtée que vous aurez eu l'expérience de vos oppositions.

Adore : reconnais que Je suis Tout et que tu n'es que

par Moi. Mais par Moi, que n'es-tu pas ? une parcelle sans doute, mais une parcelle de Moi. Souviens-toi que tu es poussière et que tu retourneras en poussière, mais en poussière assumée, spiritualisée, divinisée en Moi et par Moi.

Désires-tu quelque chose et que désires-tu ? Il ne peut s'agir d'un désir superficiel, mais d'une aspiration profonde où tout ton être soit engagé. Quand tu deviens vraiment une âme de désirs, il n'est rien que tu ne puisses Me demander ou demander à Mon Père en union avec Moi.

Quand ton désir se fixe sur Moi, quand tu demandes de Me posséder et d'être possédé par Moi, quand tu aspires avec ardeur à mon emprise, à mon étreinte, à mon empreinte — sois assuré d'être exaucé, même si tu ne perçois aucune mutation brusque, aucun changement apparent. C'est peu à peu que mon action s'exerce et c'est dans l'invisible qu'elle opère. Mais au bout d'un certain temps, tu t'apercevras qu'il y a en toi une nouvelle disposition, une orientation plus habituelle de tes pensées et de tes vouloirs, une option plus spontanée en ma faveur ou au profit des autres — et c'est là le résultat tangible auquel tu aspirais.

Quand tu désires vraiment l'avènement ou la croissance de mon Règne dans tous les cœurs, quand tu désires la multiplication de vocations contemplatives, de missionnaires et d'éducateurs spirituels, apôtres de mon Eucharistie, de Notre-Dame et de la sainte Eglise, même si apparemment et pour un temps, les statistiques semblent en sens contraire, aucun de tes désirs n'est perdu, et les semences de vocations à la vie mystique qu'ils auront values porteront bien des fruits.

Demande-Moi de faire toujours ce que Je veux que tu fasses, là où Je le veux et comme Je le veux. Alors ta vie sera féconde. Demande-Moi d'aimer intensément avec mon cœur tous ceux que Je te donne à aimer : mon Père des Cieux, notre Esprit, ma Mère qui est aussi la tienne, ton Ange et tous les anges, les saints que tu as connus et tous les saints, tes frères, tes amis, tes fils et tes filles selon l'esprit et tous les hommes. Alors mon influence bienfaisante grandira par toi jusqu'à devenir unifiante et universelle.

Cherche-Moi d'abord en toi et dans les autres et dans mes « signes » que sont les petits événements de chaque jour. Cherche-Moi en recommençant sans cesse et en intensifiant le désir de Me trouver pour que Je te mène et que Je te purifie de plus en plus. Alors tout le reste te sera donné par surcroît, à toi et à ta postérité invisible mais innombrable. Ainsi de jour en jour, pendant le temps qui te reste à passer ici-bas, Je pourrai te préparer efficacement à la « Lumière de gloire » où tant de ceux que tu as connus t'ont déjà devancé.

★

« O Jésus, accorde-moi d'être en Toi et pour Toi
ce que Tu veux que je sois ; de penser en Toi et
pour Toi ce que Tu veux que je pense.

Accorde-moi de faire en Toi et pour Toi ce que Tu
veux que je fasse.

Accorde-moi de dire en Toi et pour Toi ce que Tu
veux que je dise.

Accorde-moi d'aimer en Toi et pour Toi tous ceux
que Tu me donnes à aimer.

Donne-moi le courage de souffrir en Toi et pour
Toi avec amour ce que Tu veux que je souffre.

Fais-moi Te chercher toujours et partout pour que
Tu me mènes et me purifies selon ton divin vouloir. »

*Cette prière était journellement répétée par
le Père dans les dernières années de sa vie.
Il la communiquait volontiers et en recom-
mandait la récitation quotidienne.*

QUE MA PAIX ET
MA JOIE SOIENT EN TOI

Sois en paix. Garde-toi l'âme sereine au milieu même des remous de l'actualité, des imprévus, des événements.

Reçois calmement mon message à travers ces envoyés aux manières parfois un peu rustres et brutales.

Efforce-toi de déchiffrer mes mots d'amour à travers des graffiti mal griffonnés.

L'essentiel, n'est-ce point leur contenu et leur contenu est toujours : « Mon enfant, Je t'aime. »

Aie confiance et sois en paix pour ton passé tant de fois purifié. Crois à ma miséricorde.

Aie confiance et sois en paix pour le présent. Ne sens-tu pas que Je suis là près de toi, en toi et avec toi, que je te guide, que Je te mène et que même s'il est dans ta vie actuelle des moments dramatiques entrecoupés de tant d'heures de calme, jamais je ne t'abandonne, toujours Je suis là intervenant à temps ?

Aie confiance et sois en paix pour l'avenir. Oui, ta fin de vie sera dynamique, sereine et féconde. Je veux me servir de toi même lorsque tu auras la crainte d'être inutile.

C'est à ton insu surtout que je passerai par toi, de la façon qu'il me plaira.

Puise la joie en Moi. Aspire-la pour mieux en être submergé et mieux la donner autour de toi.

N'oublie pas ma directive : « SÉRÉNITÉ ». Oui, cette sérénité à base d'espérance, de confiance en Moi, d'abandon sans mesure à ma Providence.

Participe à la joie du ciel et à la joie de ton Seigneur. Rien ne t'empêche d'y communier et d'y prendre part.

Oublie-toi et pense davantage à la joie des autres aussi bien sur la terre qu'au ciel.

Il n'est pas nécessaire d'être riche, ni d'être en bonne santé pour être heureux. La joie est un don de mon Cœur que J'accorde à tous ceux qui épanouissent le leur en vivant pour les autres — car la joie égoïste ne dure pas. Seule persiste la joie du don. C'est ce qui caractérise la joie des bienheureux.

Faire plaisir, que ce soit le cœur de ta joie — même sans que cela paraisse — dans les choses les plus ordinaires.

Demande-Moi souvent la bonne humeur, l'entrain et, pourquoi pas, la gaieté franche et souriante.

Regarde-Moi te regarder et souris-Moi intensément.

★

Pour ton oraison, tu passerais l'heure à Me regarder sans rien dire et à Me sourire que tu ne perdrais pas ton temps. Je te veux joyeux à mon service, joyeux quand tu pries, joyeux quand tu travailles, joyeux quand tu reçois, joyeux même quand tu souffres. Sois joyeux à cause de Moi ; sois joyeux pour Me faire plaisir, sois joyeux par communion à ma joie.

★

Tu le sais bien, la vraie Joie c'est Moi. Le véritable Alleluia substantiel dans le sein du Père, c'est Moi, et il n'est rien tant que Je désire, que de vous faire partager quelque chose de ma joie immense.

Pourquoi tant d'hommes sont-ils tristes alors que Je les ai créés pour la joie ? Les uns sont écrasés par les soucis de la vie matérielle alors qu'il suffirait de se confier à ma Providence pour trouver au moins la sérénité. Les autres sont dominés par l'orgueil mal réfréné, l'ambition déçue et décevante, la jalousie aigrie et amertumante, la recherche inquiète de biens temporels qui ne suffisent jamais à rassasier leur âme. D'autres sont victimes de leurs fièvres sensuelles qui imperméabilisent leurs cœurs au goût des choses spirituelles. D'autres enfin n'ayant pas pu comprendre la pédagogie d'amour que représente toute souffrance se révoltent contre elle en se cassant la tête contre la paroi au lieu de la placer sur mon épaule, là où je pourrais les consoler, devenir leur réconfort et leur apprendre à faire valoir leur Croix au point que celle-ci les portera au lieu de les écraser !

Demande que ma joie grandisse dans les cœurs des hommes, et d'abord des prêtres et des religieuses. Ce sont eux qui doivent être par excellence les dépositaires de ma joie et en devenir les canaux providentiels pour tous ceux qui les approchent.

S'ils savaient le mal qu'ils font et qu'ils se font en ne s'ouvrant pas largement au chant intérieur de ma joie divine et en ne s'accordant pas au rythme de cette joie en eux !

On ne leur dira jamais assez que tout ce qui les rend amers et tristes ne vient pas de Moi, et que la joie, y compris la joie dans la foi et la joie par la croix, est le chemin royal pour venir jusqu'à Moi et Me permettre de grandir en eux.

★

La joie, pour subsister et pour croître, a besoin d'être sans cesse renouvelée dans le contact intime de la contemplation vivante, dans la pratique généreuse et fréquente des petits sacrifices, dans l'acceptation amoureuse des humiliations providentielles.

Le Père est Joie. Ton Seigneur est Joie. Notre Esprit est Joie. S'insérer en notre vie, c'est entrer en notre joie.

Offre-Moi toutes les joies de la terre, joies physiques du jeu ou du sport, joie intellectuelle du chercheur qui trouve, joies de l'esprit, joies du cœur, joies de l'âme surtout.

Adore la Joie infinie que Je suis pour vous dans l'hostie du tabernacle.

Nourris-toi de Moi et quand tu as le cœur bien gonflé de ma joie, émets des rayons et des ondes de joie en faveur de tous ceux qui sont tristes, esseulés, mélancoliques, fatigués, épuisés, écrasés. Tu aideras ainsi beaucoup de tes frères.

**DEMANDE-MOI
L'INTELLIGENCE DE L'EUCHARISTIE**

Demande-Moi souvent l'intelligence de l'Eucharistie. Contemple

Ce que l'Eucharistie t'apporte.

D'abord une présence, puis un remède, enfin une nourriture.

Une présence : oui, ma présence actuelle de Ressuscité, présence glorieuse bien que humble et cachée, présence totale comme sève du Corps mystique, présence vivante et vivifiante.

● Présence active, ne demandant qu'à pénétrer tous mes frères humains, tous appelés à devenir mon plérôme, des prolongements de Moi et à les assumer dans l'élan qui me donne sans cesse à mon Père.

● Présence aimante car Je suis là pour me donner, pour purifier, pour continuer par toi ma vie d'oblation et prendre en compte tout ce que tu es et tout ce que tu fais.

Un remède : contre l'égoisme, contre la solitude, contre la stérilité.

● Contre l'égoisme, car on ne peut s'exposer aux radiations de l'Hostie sans qu'elles s'infiltrent et finissent par embraser l'âme du feu de mon amour. Alors ma charité purifie, éclaire, intensifie, fortifie la petite flamme qui était en ton cœur. Elle la pacifie, l'unifie, la féconde aussi en l'orientant au service des autres pour leur communiquer l'incendie que Je suis venu allumer sur la terre.

● Contre la solitude : Je suis là près de toi, ne te quittant jamais ni de la pensée ni du regard. En Moi tu trouves le Père et l'Esprit Saint. En Moi tu trouves Marie. En Moi tu trouves tous tes frères humains.

● Contre la stérilité : *Celui qui demeure en Moi et en qui Je demeure, porte beaucoup de fruit* — ce fruit invisible sur la terre et que vous ne percevrez que dans l'éternité — mais c'est le seul qui compte : ma croissance dans les âmes.

Une nourriture : qui enrichit, qui spiritualise, qui universalise.

● Oui, je viens à toi comme le pain de vie descendu du ciel pour te remplir de mes grâces, de mes bénédictions, pour te communiquer le principe de toute vertu et de toute sainteté, pour te faire participer à mon humilité, à ma patience, à ma charité ; pour te faire partager ma vision de toutes choses et mes vues sur le monde, pour te donner la force et le courage d'entreprendre ce que je te demande.

● Nourriture qui spiritualise, purifiant tout ce qui en toi tendrait à t'animaliser, qui donne à ta vie l'élan vers Dieu et prépare ta progressive divinisation. Evidemment, ceci ne peut se faire d'un seul coup mais jour après jour, par ton état de communion fréquente, spirituelle autant que sacramentelle.

● Nourriture qui universalise. Je suis en toi, Je viens en toi comme le Dieu fait homme qui porte avec lui et résume en lui toute la création et plus spécialement toute l'humanité, avec ses détresses, ses besoins, ses aspirations, ses travaux, ses peines et ses joies.

Qui communie à Moi communie au monde entier et active le mouvement du monde vers Moi.

Ce que l'Eucharistie te demande.

D'abord une ATTENTION :

1 - *A mon attente,* humble, discrète, silencieuse mais si souvent anxieuse.

Que de fois j'espère un mot de toi, un mouvement du cœur, une simple pensée volontaire ! Si tu savais à quel point j'en ai besoin pour toi, pour Moi, pour les autres ! Ne me déçois pas.

Si souvent, je me tiens à la porte de ton cœur, et je frappe...

Si tu savais comme j'épie les mouvements intérieurs de ton âme !

Sans doute, je ne te demande pas d'être fixé constamment et consciemment sur Moi. L'essentiel, c'est que l'orientation de ta volonté profonde, ce soit Moi ; mais il est nécessaire de ne pas te laisser trop manger l'esprit par la bagatelle, par ce qui passe aux dépens de Celui qui demeure en toi pour t'aider à demeurer en Lui. Demande-Moi la grâce de faire plus souvent et plus intensément attention à Moi, à ce que je peux avoir à te dire, à te demander, à te faire faire :

> Seigneur, parlez, votre serviteur vous écoute.
> Seigneur, qu'attendez-vous de moi en ce moment ?
> Seigneur, que voulez-vous que je fasse ?

2 - *A ma tendresse,* infinie, divine, exquise, ineffable, dont je t'ai fait goûter quelques rayons. Ah si l'on y croyait ! Si l'on croyait vraiment que Je suis le Dieu bon, tendre, prévenant, ardemment désireux de vous aider, de vous aimer, de vous encourager, attentif à vos efforts, à vos progrès, à votre bonne volonté, toujours disposé à vous entendre, à vous écouter, à vous exaucer !

Mais oui, je veux que vous soyez heureux sans préoccupation excessive pour l'avenir, confiants en ma Providence et en ma miséricorde. Je veux votre bonheur et dans la mesure où vous me ferez confiance, ni l'épreuve, ni la souffrance qui peuvent s'expliquer dans la synthèse de l'esprit d'amour, ne parviendront à vous écraser. Bien au contraire, elles vous vaudront un regain de vitalité spirituelle, gage d'une merveilleuse fécondité apostolique et elles seront traversées de tels éclairs de joie que vos âmes frémissantes en seront tout illuminées.

3 - *A mon élan vital,* qui me pousse à tout récapituler en Moi pour l'offrir au Père.

Songes-tu assez que c'est là toute ma vie, toute la raison de mon Incarnation, de mon Eucharistie : vous unir, vous rassembler, vous unifier en Moi et vous entraîner avec Moi dans le don total de tout Moi au Père afin que le Père soit par Moi tout en tous ?

Songes-tu que Je ne puis t'assumer que dans la mesure où tu te donnes intérieurement à Moi ?

Livre-toi totalement à mon emprise. Mais pour cela il faut que tu fasses *attention à mon désir constant de m'emparer de toi et de t'assimiler, de t'assumer, de te prendre en compte.*

Cette attention t'aidera à multiplier, sans contention d'ailleurs, tes *donations intérieures à mon amour* qui seront comme autant d'*élans du cœur pour rejoindre mes élans divins.*

Ce que l'Eucharistie te demande ensuite, c'est une ADHÉSION, l'adhésion de ta foi, de ton espérance, de ta charité.

1 - Adhésion *de ta foi*, qui te permettra de percevoir ma présence, mon activité radiante, ma volonté d'union avec toi.

C'est maintenant qu'il te faut te couler en Moi, t'insérer en Moi, jouer ton rôle de partie dans le grand tout que je suis pour réaliser la splendide partition de mon amour à la gloire de mon Père. Sois davantage aux aguets, aux écoutes de mes désirs, si tu veux les connaître. Offre-Moi ton oreille intérieure, pour entendre ce que je te demande.

Crois en ma transcendance.

De même que plus un savant avance dans une science, plus il s'aperçoit qu'il ne sait rien à côté de tout ce qu'il devrait savoir — et les limites de la connaissance se perdent dans un lointain qui lui donne le vertige...

...de même, plus tu Me connaîtras, plus tu sentiras que ce qui est inconnaissable en Moi est encore plus important que tout ce que tu peux en connaître.

Mais aussi crois en mon immanence. Car tel que je suis, j'ai accepté de Me faire l'un de vous. Je suis Dieu parmi vous, Dieu avec vous, l'Emmanuel. J'ai vécu votre vie — et je la vis encore à travers chacun des membres de mon humanité. Il n'est pas besoin d'aller Me chercher bien loin pour Me trouver, et Me trouver authentiquement. Ah ! si l'on savait ce que c'est qu'un Dieu qui se donne !

2 - Adhésion plus plénière *de ton espérance.*

Si tu avais davantage confiance dans l'ensoleillement que te vaut le face-à-face avec Moi dans l'Hostie, comme tu viendrais plus volontiers te mettre sous le rayon de mon influence, comme tu aimerais te laisser pénétrer par mes radiations divines !

Ne crains pas d'être brûlé ! Crains plutôt de les négliger et de ne pas en profiter assez au service des autres.

Tu crois à tout cela, mais il te faut en tirer les conséquences pratiques. Si je limite actuellement ton activité extérieure, c'est au profit des possibilités d'activité intérieure. Or tu n'auras de fécondité que si tu viens longuement te recharger auprès de Moi vivant dans le Sacrement de mon amour.

Depuis si longtemps, j'habite dans l'hostie sous ton toit !

Oui, je le sais, il faut renoncer à bien des choses secondaires, apparemment plus urgentes ou plus agréables, pour te consacrer et consacrer du temps à monter la garde près de Moi. Mais ne faut-il pas se renoncer pour Me suivre ?

Oui, je le sais bien. Tu as peur de ne savoir que dire ni que faire. Tu as peur de perdre ton temps. Mais, tu en as eu maintes fois l'expérience : Je suis toujours prêt à t'inspirer ce qu'il faut Me dire et à te suggérer ce qu'il faut Me demander — et n'est-il pas vrai qu'après quelques moments de silence et de communion intérieure, tu te sens plus ardent et plus aimant ?

Alors ?

3 - Adhésion plus plénière *de ton amour*.

Y a-t-il un mot qui exprime des réalités aussi diverses, des sentiments apparemment aussi opposés ?

Aimer, c'est sortir de soi. C'est penser à l'être aimé avant de penser à soi. C'est vivre pour lui, mettre tout en commun avec lui, s'unir à lui, s'indentifier à lui.

Où puiser l'élan oblatif du véritable amour, sinon auprès de l'Hostie qui est par excellence l'oblation totale et substantielle ?

Communie souvent en esprit au feu qui « arde » dans l'Eucharistie.

Essaie de faire passer en toi quelque chose des sentiments brûlants de mon Cœur. Aspire et exprime. Fais de temps en temps des séries d'aspiration et d'expression amoureuse. Ces « exercices » fortifieront la puissance d'amour que j'ai mise inchoativement en toi au jour de ton baptême, que je ne demande qu'à développer à chacune de tes communions. Alors ton adhésion à Moi sera profonde et solide. A force de répéter ces pratiques, tu te disposeras à ne faire qu'un avec Moi et à te laisser absorber par ma divine et inexprimable Suavité.

Ce que l'Eucharistie te demande, c'est de M'absorber et de te laisser absorber par Moi — au point que nous ne fassions plus qu'un tous les deux sous l'influence de l'Esprit — et cela à la gloire du Père. Comme la goutte de rosée absorbe le rayon de soleil qui la fait étinceler et finalement se laisse absorber par lui — comme le fer absorbe le feu qui le pénètre et se laisse absorber par lui au point de devenir feu lui-même lumineux, brûlant et souple comme lui ; ainsi dois-tu M'absorber et te laisser absorber par Moi.

Mais cela ne peut s'opérer que sous l'influence de mon Esprit qui prédispose le tien et l'adapte à ma venue en toi. Ceux-là sont fils de Dieu qui sont agis par l'Esprit Saint. Appelle-le souvent à l'œuvre. Il est lui-même Feu dévorant.

Cette absorption mutuelle tendra à une véritable fusion. Alors, ta raison de vivre, de faire tout ce que tu as à faire, de souffrir tout ce que Je te donne à souffrir, ce sera Moi. *Mihi vivere Christus est.*

C'est cela la véritable communion, et c'est à cette communion-là que tend l'Eucharistie.

C'est sous la radiance eucharistique que tu enrichis ton ton âme de ma présence — j'allais presque dire de mon parfum. A toi de l'attirer, de le conserver longtemps et d'en embaumer ton entourage. Qu'y a-t-il de plus silencieux et en même temps de plus pénétrant et de plus éloquent qu'un parfum ?

(Ayant entendu ces jours-ci plusieurs critiques contre les Heures Saintes, les expositions du Saint-Sacrement et les « Saluts », je Lui demandais ce qu'il fallait en penser).

Si je désire être exposé à vos regards dans le Sacrement de mon Eucharistie, ce n'est pas pour Moi, c'est pour vous.

Je sais mieux que personne à quel point votre foi a besoin pour fixer son attention d'être attirée par un signe qui exprime une réalité divine. Votre adoration a souvent besoin de soutenir le regard de votre foi par la vue de l'Hostie consacrée.

C'est là une concession à la faiblesse humaine, mais c'est parfaitement conforme aux lois de la psychologie. D'autre part, l'expression d'un sentiment le renforce — et le cérémonial, si modeste soit-il, des lumières, de l'encens et des chants prédispose l'âme à prendre dans la foi une conscience plus lucide, si imparfaite soit-elle, de la présence transcendante de Dieu.

Ici, c'est la loi d'Incarnation qui joue : tant que vous êtes sur terre, vous n'êtes pas de purs esprits, ni des intelligences abstraites ; il est nécessaire que tout votre être physique et moral collabore à l'expression de votre amour pour l'intensifier.

Il est possible à certains privilégiés de s'en passer au moins pour un temps, mais pourquoi refuser à la masse des hommes de bonne volonté ce qui peut les aider à mieux prier, à mieux s'unir, à mieux aimer ?

N'ai-Je point au cours de l'Histoire manifesté souvent

et de maintes manières ma divine condescendance à l'égard de tous ces moyens extérieurs qui facilitent en beaucoup d'âmes l'éducation du respect et stimulent à plus d'amour ?

Croit-on que sous prétexte de simplification radicale, on évitera le pharisaïsme de celui qui se croit plus pur que les autres ? Croit-on que l'on stimulera davantage la foi et l'amour des hommes simples qui veulent venir à Moi avec un cœur d'enfant ?

Les êtres humains ont besoin de fêtes et de démonstrations qui s'adressent à leur intelligence par l'intermédiaire de leur sensibilité et leur donnent déjà par avance un avant goût, pour ne pas dire une nostalgie des noces éternelles.

TOUT LE PROBLÈME D'ÉVANGÉLISATION
FAIRE GRANDIR L'AMOUR

Tout le problème de l'évangélisation du monde, c'est celui de la foi en un amour. Comment arriver à en persuader les hommes ? C'est là où il faut que ta charité ardente et débordante rende mon amour éclatant, évident aux hommes. Oui, tout le problème est là : faire grandir l'amour dans le cœur des hommes actuellement sur la terre. Or l'amour doit être pris à sa source, en Moi. Il doit être aspiré par une vie priante et exprimé par une vie parlante, lui rendant le témoignage qui lui permet de passer et d'être transmis de proche en proche.

Il s'agit de « caritatiser » les hommes du monde entier pour les purifier de leur animalité souvent agressive, toujours égocentrique, et les spiritualiser au point de progresser dans leur participation à ma nature divine.

Il faut qu'ils optent librement pour l'amour de préférence à la haine, à la violence, à la volonté de puissance, à l'instinct de domination. Cette croissance dans l'amour n'est pas rectiligne ; elle passe par des paliers, elle subit même des reculs. L'essentiel, c'est que, avec mon aide qui ne manque jamais, elle reprenne la marche en avant.

L'amour se purifiera par le détachement de l'argent et le renoncement à soi. Il se développera dans la mesure où l'homme pensera aux autres avant de penser à lui, où il vivra pour les autres avant de vivre pour lui, où humblement il partagera les soucis, les peines, les souffrances et même les joies des autres ; dans la mesure aussi où il aura conscience d'avoir besoin des autres et où il acceptera de recevoir autant que de donner.

C'est MOI le salut, c'est MOI la vie, c'est MOI la lumière. Il n'est rien qui ne soit possible lorsque ceux qui sont invités à puiser dans le trésor que Je suis, le font par amour et sans hésitation.

Par amour, car c'est l'amour la robe nuptiale.

Sans hésitation, car celui qui a peur quand Je l'appelle s'enfonce et perd pied. Quand on est mon invité, quand on est de ma maison, il faut voir grand, vouloir grand, donner largement à tous ceux qui ne refusent pas délibérément.

Bien peu comprennent, Toi du moins comprends-le et fais-le comprendre. Il ne s'agit pas tant d'une compréhension intellectuelle que d'une expérience personnelle. Seuls ceux qui ont l'expérience vécue de mon amour pour eux peuvent avoir les accents qui persuadent et embrasent ; mais l'expérience est vite oubliée et amortie par la bagatelle si elle n'est pas fréquemment renouvelée, rajeunie par de nouvelles étreintes intérieures.

Etre missionnaire, ce n'est pas avant tout s'activer à mon service, c'est d'abord mettre en œuvre l'efficacité concrète de ma présence rédemptrice. Tu ne vois guère, tant que tu es sur terre, le résultat de cette oblation missionnaire. C'est pour ménager l'humilité nécessaire du véritable apôtre et aussi parce que c'est dans la foi nue que s'exerce cette action en profondeur — mais, crois-le bien, c'est ainsi que s'opèrent à l'intime des cœurs les bouleversements de ma grâce, les conversions inattendues, et que s'acquièrent pour les travaux des apôtres les bénédictions qui les fécondent.

Autre celui qui sème, autre celui qui moissonne. Il arrivera que l'un moissonne dans la joie ce que d'autres auront semé dans les larmes mais l'essentiel, c'est de s'unir à Moi qui suis l'éternel Semeur et le divin Moissonneur, et de ne jamais s'attribuer le bien que Je fais faire. En réalité, vous êtes tous responsables collégialement de l'évangélisation du monde et votre récompense, proportionnée à votre courage et à votre fidélité dans l'union et dans l'amour, sera telle que votre joie surpassera toutes vos espérances.

Ce qui importe c'est, dans tous les milieux, dans tous les pays, aussi bien chez les laïcs que chez les prêtres, la multiplication d'âmes droites et simples qui soient aux écoutes de ma pensée et de mes désirs et s'efforcent de les réaliser dans toute leur vie, Me manifestant ainsi sans bruit dans leur entourage et attirant vers Moi tous ceux qui les rencontrent. C'est là le véritable apostolat dans le détachement de soi-même au service des problèmes des autres. Qui mieux que moi peut non seulement en donner la solution, mais en fournir la réalisation ?

S'aimer, ce n'est pas seulement se regarder l'un l'autre, c'est regarder ensemble en avant et ensemble se dévouer aux autres.

N'est-ce point le souci des autres qui est l'un des fondements pratiques de cette communion entre deux êtres qui s'aiment ? N'est-ce pas lui qui en mesure l'intensité et en stabilise la pérennité ? Parle-Moi souvent des autres avec beaucoup d'amour et de désir. Pense parfois à la soif que j'ai d'eux et au besoin qu'ils ont de Moi. Travaille et offre pour eux. Tu sais bien que par toi, c'est Moi-même qui continue mon labeur et mon oblation en leur faveur.

Prends mes intérêts. Cela signifie : travaille par la prière, par l'action, par la parole, par la plume, par tous les moyens d'influence que J'ai mis entre tes mains à faire prévaloir ma charité dans les cœurs. Tout est là. Que ma charité soit victorieuse et Je grandis dans le monde.

★

L'histoire qui compte vraiment est une suite ininterrompue d'options pour ou contre l'Amour.

Quel que soit le mouvement des idées, le progrès de la technique, l'aggiornamento de la théologie ou de la pastorale, ce dont le monde a le plus besoin, encore plus que d'ingénieurs ou de biologistes ou de théologiens, c'est d'hommes qui par leur vie font penser à Moi et Me révèlent aux autres, des hommes tellement pénétrés de ma présence qu'ils attirent les autres vers Moi et Me permettent de les conduire à mon Père.

Ils sont peu nombreux, ceux qui pensent à Moi avec tant soit peu d'amour. Pour tant d'hommes, Je suis l'Inconnu et même l'Inconnaissable. Pour certains, Je n'ai jamais existé et même Je ne fais pas problème. Pour d'autres, Je suis Celui que l'on craint et que l'on révère par peur.

Je ne suis pas un Maître sévère, ni un redresseur de torts, ni un comptable minutieux des erreurs et des fautes. Je sais mieux que vous toutes les circonstances atténuantes qui diminuent chez beaucoup la culpabilité réelle. Je regarde chacun davantage par ce qu'il y a de bon en lui que par ce qu'il y a de défectueux. Je détecte ce qu'il y a en chacun d'aspirations profondes vers le bien et donc inconsciemment vers Moi. Je suis la miséricorde, le Père de l'enfant prodigue, toujours prêt à pardonner. Les catégories de la théologie morale ne sont pas mon critère, surtout quand elles sont l'objet d'une application géométrique.

Je suis un Dieu de bonne volonté qui ouvre ses bras et son cœur aux hommes de bonne volonté pour pouvoir les purifier, les éclairer, les embraser, en les assumant dans mon élan vers mon Père qui est aussi le leur.

Je suis un Dieu d'amitié qui désire le bonheur de tous, la paix de tous, le salut de tous et qui guette le moment où mon message d'amour pourra être favorablement accueilli.

★

Agis en membre de Moi. Considère-toi comme n'ayant pas une existence indépendante, mais comme devant faire toutes choses en dépendance de Moi. Sois de plus en plus conscient de n'être rien par toi-même, de ne pouvoir rien, de ne valoir rien tout seul — mais quelle fécondité quand tu M'acceptes comme Maître d'œuvre et principe d'action !

Agis aussi en membre des autres, car en Moi, il y a tous les autres et par Moi tu les retrouves dans une actualité pressante. Ta charité éclairée par ta foi se doit d'y penser souvent, de récapituler leur détresse, leur misère, d'assumer leurs aspirations profondes, de mettre en valeur tout ce que mon Père a déposé de germes de bien au fond de leur cœur. Il y a tellement d'hommes qui sont meilleurs qu'ils ne paraissent et qui pourraient encore progresser dans la connaissance de mon amour, si prêtres et chrétiens en étaient les témoins vivants !

Demande chaque matin à Notre-Dame dans ton oraison de te choisir un élu du ciel, une âme du Purgatoire, un de tes frères humains encore sur la terre pour que tu puisses vivre cette journée en union avec eux, l'élu *ad honorem,* l'âme du purgatoire *ad auxilium,* ton frère sur terre *ad salutem.*

Ils t'aideront aussi à leur tour à vivre davantage dans

l'amour. Agis en leur nom, prie en leur nom, désire en leur nom, souffre s'il le faut en leur nom, espère en leur nom, aime en leur nom.

Je veux entretenir mon Feu en toi, non pas pour que tu sois seul à brûler, mais pour que tu contribues à étendre dans l'intime des cœurs la flamme de mon amour.

A quoi serviraient tes contacts avec les hommes si tu perdais le contact avec Moi ? C'est pour eux que Je te demande de renforcer tes liens avec la Source. Par une sorte de mimétisme spirituel, plus tu seras un contemplatif, plus tu Me ressembleras et plus tu Me permettras de M'irradier par toi. Dans le monde actuel en proie à tant de courants contraires, ce qui peut le plus aider à le stabiliser dans la sérénité, c'est la multiplication d'âmes contemplatives qui activent son assomption par Moi. Seuls les contemplatifs sont de vrais missionnaires et peuvent être de véritables éducateurs spirituels.

Désire ardemment être un transmetteur de haute fidélité. C'est la fidélité de ta vie qui assure la fidélité de ma Parole et l'authenticité de ma Voix à travers la tienne.

Mon cher enfant, n'oublie pas cette phrase que J'ai prononcée jadis en pensant à toi ainsi qu'à chacun des hommes répartis à travers le monde comme à travers les siècles : *« Celui qui M'aime sera aimé de mon Père, Je l'aimerai et Me ferai connaître à lui... Si quelqu'un M'aime, il gardera ma parole et mon Père l'aimera et nous viendrons à lui et nous ferons chez lui notre demeure* » (Jn 14, 21-23).

Comprends ce que c'est que de devenir la *demeure* de Dieu, du Dieu vivant, Père, Fils et Saint Esprit, de Dieu qui t'envahit, te possède et t'insère tout doucement dans le courant de lumière, de joie et d'amour qui le constitue !

Comprends-tu jusqu'où peut aller dans ton esprit, dans ton cœur, dans ta vie la manifestation de Dieu qui se révélera en toi et à travers toi dans tes paroles, dans tes écrits et dans tes gestes les plus ordinaires ?

C'est ainsi que tu peux devenir mon témoin et attirer vers Moi ceux que tu rencontres.

C'est ainsi que ta vie devient vraiment féconde, dans l'invisible certes, mais dans la réalité profonde de la communion des saints.

En cette veille de la Pentecôte, appelle souvent en toi la douce et brûlante flamme aimante de l'Esprit Saint par qui notre charité divine aspire à se diffuser dans tous les cœurs humains.

Redis-Moi et prouve-Moi par tes options parfois sacrificielles que tu M'aimes plus que toi-même.

Que l'ardeur embrasée de mon amour absorbe entièrement ton âme et la rende étrangère à ce qui n'est pas Moi ou pour Moi.

SOIS TOUTE BONTÉ, CHARITÉ, ACCUEIL, BIENVEILLANCE

N'aie que des pensées de bienveillance, des paroles de bienveillance, même quand tu dois rectifier, redresser, corriger.

Parle des qualités des autres, jamais de leurs défauts.

Aime-les tous. Tends-leur intérieurement les bras. Envoie-leur les ondes de bonheur, de santé, de sainteté que tu as accumulées pour eux. Tous seraient meilleurs, s'ils se sentaient plus aimés.

La grande histoire du monde est l'histoire secrète à travers les événements, de la croissance ou de la perte de vitesse ou d'intensité de la charité dans les cœurs, charité oblative, s'entend, charité à base d'ascèse, d'oubli de soi au profit des autres.

Le point important de ta mission c'est, par le dedans, de contribuer à ce qu'il y ait un courant plus intense d'amour qui passe à travers le monde.

Pourquoi ne pas chercher à charmer les autres, à leur être agréable ? Si tu y pensais, cela te serait facile. S'oublier soi-même, oublier ses soucis pour penser aux autres et à ce qui leur ferait plaisir, semer un peu de joie autour de soi, n'est-ce pas contribuer à panser bien des plaies, à apaiser bien des peines ? Je vous ai mis à côté de vos frères pour vous faciliter l'exercice du don.

Demande-Moi le goût du don, le sens du don. C'est une grâce à obtenir. C'est une habitude à prendre. C'est un pli de pensée et mieux encore un pli du cœur. Marie a été don de tout elle-même. Qu'elle t'obtienne le don de la disponibilité.

Souris à tout, même quand tu te sens faible, mal disposé. Le mérite est plus grand. J'attacherai une grâce à ton sourire.

Sois de plus en plus accueillant aux autres. C'est là ta forme de charité. Certes, cela demande du renoncement à ce qui te concerne mais, tu le sais par expérience, tu n'as jamais eu à regretter une option en faveur des autres. Je ne Me laisse jamais vaincre en générosité.

Si les chrétiens étaient bons les uns pour les autres, la

face du monde serait changée. C'est là une vérité élémentaire, mais si facilement oubliée !

Pourquoi souvent tant de fiel, tant de dédain, tant d'indifférence alors qu'un peu de sympathie véritable suffirait à rapprocher les âmes et à ouvrir les cœurs ?

Efforce-toi, là où tu es, d'être un témoin de ma bienveillance divine à l'égard de tous. Cette bienveillance est à base de respect et d'amour, d'optimisme et de confiance. Sans doute, il y a ceux qui abusent, mais ce n'est pas la majorité et qui peut dire les circonstances qui atténuent leur responsabilité ?

Voir en chacun ou tout au moins deviner ce qu'il y a de meilleur. S'adresser à ce qu'il y a en lui d'aspiration vers la pureté, le don de soi, le sacrifice même.

La charité fraternelle est la mesure de ma croissance dans le monde. Prie pour qu'elle grandisse. C'est ainsi que tu M'aideras à croître.

Qui ne prend pas part au fardeau des autres n'est pas digne d'avoir des frères.

Tout est dans la manière : un sourire aimable, un accueil bienveillant, le souci d'autrui, une gentillesse gratuite, une volonté discrète de ne dire que du bien des autres... que de choses qui peuvent être pour beaucoup autant de rayons de soleil. Un rayon de soleil, cela ne semble pas avoir de consistance. Il n'empêche que cela illumine, réchauffe et resplendit.

Sois bon pour les autres. Jamais Je ne te reprocherai un excès de bonté. Cela te demandera souvent du détachement, mais crois que Je considère comme faites à Moi-même toutes tes gentillesses aux autres — et ce sera une joie pour Moi de te les rendre au centuple.

Demande souvent à l'Esprit Saint de t'inspirer et de te fournir des occasions d'être bon.

Je ne te demande pas l'impossible, ni le difficile, mais d'avoir cette disposition intime de désirer que tout le monde autour de toi soit heureux, consolé, réconforté.

C'est cela, aimer les autres en esprit et en vérité, et non pas d'une façon abstraite et théorique — et c'est souvent dans les humbles détails de la vie quotidienne que se vérifie l'authenticité d'une charité qui soit prolongement et expression de la mienne.

Comment veux-tu que les hommes se sentent aimés par Moi si ceux qui Me continuent sur terre ne leur en apportent pas un témoignage perceptible ?

Désire ardemment au nom de tous ce que Moi-même Je souhaite pour chacun d'entre eux.

A la racine de bien des agressivités, il y a presque toujours un élément plus ou moins conscient de frustration.

L'homme créé à mon image a été fait pour aimer et pour être aimé. Lorsqu'il est victime d'une injustice, d'un manque de tendresse ou d'une absence d'égards, il se replie sur lui-même et cherche une compensation dans la haine ou la méchanceté. De proche en proche, l'homme devient un loup pour l'homme. C'est la porte ouverte à toutes les violences et à toutes les guerres. Ainsi s'expliquent d'une part mon extrême indulgence et d'autre part mon insistance sur le commandement de l'amour, tel que l'a transmis saint Jean.

Pense souvent aux âmes en détresse à travers le monde :

● En détresse physique, victimes des guerres, obligées de chercher refuge loin de chez elles, par des routes interminables — victimes des typhons, des tremblements de terre — victimes de la maladie, de l'infirmité, de l'agonie.

● En détresse morale, victimes d'un premier péché, victimes de l'abandon, victimes de la nuit obscure.

● Ames sacerdotales découragées, dans lesquelles souffle le vent de la révolte et qui ne trouvent qu'indifférence et mépris de la part de ceux qui devraient le plus leur venir en aide.

● Ames d'époux brisées par la fatigue de la satiété, l'énervement du surmenage, l'exacerbation de caractères opposés — toujours à la merci d'une parole ou d'un geste malheureux — et qui oublient que leur amour pour perdurer doit venir se purifier et s'alimenter en Moi.

● Ames de vieillards qui se refusent à la nouvelle jeunesse du dernier âge en préparation à la transfiguration éternelle, qui ont peur de la mort, qui s'accrochent désespérément à de vaines babioles — et qui fermant les yeux à l'espérance gaspillent leurs dernières forces dans l'amertume, la critique et la révolte.

Qu'elles sont nombreuses de par le monde, celles qui ont ainsi perdu le goût de lutter et de vivre, qui ne savent pas que Je suis Moi-même le secret du véritable bonheur au milieu même des circonstances les plus malheureuses !

Envoie fréquemment à travers le monde des ondes de sympathie, de bienveillance, de réconfort. Je transforme tout cela en grâces de consolation qui remontent les courages. Aide-Moi à rendre plus heureux les hommes. Sois un témoin de l'Evangile. Donne à ceux qui te voient, à ceux qui t'approchent, à ceux qui t'entendent, l'impression d'avoir une Bonne Nouvelle à leur annoncer.

Tel comportement apparemment incompréhensible prendra toute sa valeur — avec la suite des repentirs, des réparations et... de mes pardons — dans la vision globale de chaque existence perçue à sa place dans l'ensemble du corps mystique.

Je suis optimiste en dépit de toutes les misères et de tous les reniements.

Il faut aimer avec mon cœur pour voir avec mon regard.

Tu participeras alors à mon extrême bienveillance et à mon inaltérable indulgence.

Je ne vois pas les choses comme vous les voyez, vous hypnotisant sur un petit détail et n'ayant pas la vue de l'ensemble. Que d'éléments d'ailleurs vous échappent : intention profonde, habitudes acquises devenues invétérées et atténuant grandement la responsabilité, émotivité puérile créant l'instabilité — sans parler des atavismes cachés, ignorés de la personne elle-même...

Si les chrétiens qui sont mes membres acceptaient tous les matins d'aspirer quelque chose de la charité de mon Cœur pour ceux qu'ils rencontreront ou dont ils auront à parler au cours de la journée, la charité fraternelle serait autre chose qu'un thème usé de discours ou de prédication !

⭐

Sois toute bonté.

Bonté faite de bienveillance, de biendisance, de bienfaisance sans aucun complexe de supériorité, mais en toute tendresse et humilité.

Bonté qui s'exprime par la gentillesse de l'accueil, la disponibilité à rendre service, le souci du bonheur de l'autre.

Bonté qui s'origine dans mon Cœur et plus profondément dans le sein de notre vie trinitaire.

Bonté qui donne et qui pardonne au point d'oublier les offenses comme si elles n'avaient jamais eu lieu.

Bonté qui tend vers Moi dans l'autre ses mains, son esprit et surtout son cœur, sans bruit de parole, sans démonstration intempestive.

Bonté qui réconforte, qui console, qui redonne courage et aide discrètement l'autre à se surpasser lui-même.

Bonté qui Me révèle, bien plus sûrement que les plus beaux sermons, et qui attire vers Moi bien plus efficacement que les plus éloquents discours.

Bonté faite de simplicité, de douceur, de charité profonde qui tout en créant une ambiance sympathique ne néglige aucun détail.

Demandes-en souvent la grâce en union avec Marie. C'est là un don que Je ne refuse jamais et que beaucoup recevraient si on M'en priait davantage.

Implore-le pour tous tes frères et contribue ainsi à élever un peu plus le niveau de la bonté, de ma bonté, dans le monde.

Sois un reflet, une expression vivante de ma bonté. Adresse-toi à Moi à travers ceux que tu rencontres. Tu verras alors comme c'est plus facile d'être positif, ouvert et accueillant.

Mets de plus en plus de bonté dans ton âme pour qu'elle se reflète sur ton visage, dans tes yeux, dans ton sourire, à travers même le ton de ta voix et dans tout ton comportement.

★

Les jeunes pardonnent volontiers leur âge aux anciens s'ils les sentent bons.

★

Tu as pu remarquer comme la bonté, l'indulgence, la bienveillance auréolent le front des vieillards. Mais cela demande toute une série de petits efforts et d'options généreuses en faveur des autres. Le troisième âge est par excellence l'âge de l'oubli de soi par la perception de ma présence comme imminente.

Les vieillards sont loin d'être des inutiles si, au milieu de leurs limitations progressives, de leurs diminutions apparentes ou cachées, ils savent trouver en Moi le secret de la charité, de l'humilité et de la joie quand même. Leur sérénité peut Me révéler à nombre de ceux qui les approchent et attirer vers Moi beaucoup de jeunes que se croient capables de se passer de Moi parce qu'ils se sentent forts et solides.

Là où se trouvent l'amour et la charité, JE SUIS là pour bénir, pour purifier, pour féconder.

196

VIS DANS
L'ACTION DE GRACE

Sois toi-même en Moi action de grâce vivante.

Sois un MERCI vibrant, constant, joyeux.

Dis MERCI pour tout ce que tu as reçu et que tu connais.

Dis MERCI pour tout ce que tu as reçu et que tu as oublié.

Dis MERCI pour tout ce que tu as reçu et que tu ne connais point.

Tu es capacité de recevoir. Elargis, étends cette capacité par ton action de grâce incessante et tu recevras encore davantage pour pouvoir davantage donner aux autres.

Demande. Reçois. Dis merci.

Donne. Communique. Partage et dis merci d'avoir quelque chose à donner.

Dis-Moi merci de t'avoir choisi et de passer par toi pour me donner aux autres.

Dis-Moi merci pour la souffrance qui Me permet d'achever en ta chair ce qui manque à ma Passion pour mon corps qui est l'Eglise.

Ne fais qu'un avec Moi dans le MERCI vibrant et substantiel que je suis pour mon Père.

Vis de plus en plus dans l'action de grâce. Je t'ai tellement comblé !

Dis-Moi plus souvent MERCI pour tout et au nom de tous. Tu stimules à ce moment-là ma Charité à travers le monde car rien ne Me dispose plus à donner que de voir l'attention que l'on prête à mes dons. C'est ainsi que tu deviendras davantage une âme eucharistique et, pourquoi pas ? une Eucharistie vivante. Oui, dis-Moi merci pour t'avoir utilisé à ma manière à la fois suave et forte au service de mon Royaume.

★

Ce que tu as reçu jusqu'à maintenant n'est rien à côté de ce que Je te réserve encore d'ici la fin de ta vie sur terre, pour en faire bénéficier beaucoup de tes frères, mais surtout dans la lumière de gloire où, pénétré par Moi sans limites et sans réserves, tu seras devenu incandescent de mon immense amour. Dans une humilité totale, tu te rendras compte à ce moment-là que de toi-même tu n'es RIEN qu'un pauvre pécheur, soumis à toutes les ambiguïtés humaines dont tu n'as été purifié que par mon inépuisable tendresse miséricordieuse.

Alors éclatera à l'intime de ton être un vibrant *Magnificat* et tu deviendras toi-même un vivant *Te Deum* en union avec Notre-Dame et tous les élus du paradis.

Dès maintenant, renouvelle souvent, en prévision de ce jour éternel, la présentation de ta vie entière au Père dans un geste d'oblation confiante en union avec la mienne.

★

Oui, tu Nous appartiens, mais profite du temps dont tu disposes pour diminuer ton appartenance à toi-même et faire grandir l'intensité de Notre possession de toi.

Sous l'influence de l'Esprit Saint qui de toutes manières multiplie silencieusement ses appels, livre-toi par Moi au Père et laisse-toi envahir et submerger par notre ineffable présence, notre mystérieuse transcendance, notre divine tendresse.

Pense à Nous plus qu'à toi-même, vis pour Nous plus que pour toi. Non seulement, les tâches que nous te confions seront plus facilement accomplies, mais elles seront vraiment utiles à l'Eglise.

Au-delà de ce qui paraît, il y a ce qui est, et c'est la seule réalité profonde qui compte pour le Royaume.

Je suis le seul à pouvoir suppléer à tes insuffisances, colmater les brèches, intervenir à temps pour empêcher ou réparer tes bévues. Sans Moi, tu ne peux rien faire, mais uni à Moi, il n'est rien que tu ne puisses utiliser au service efficace de l'Eglise et du monde.

★

Sois reconnaissant des grâces reçues et de celles que J'ai fait passer par toi. Mais aussi dis-Moi dans la foi « merci » pour toutes tes humiliations, tes limitations, tes souffrances physiques et morales. Tu n'en verras la pleine signification que dans l'éternité et ton cœur bondira d'admiration pour ma délicate pédagogie divine.

Dis-moi merci également pour tous ceux et toutes celles, connus ou inconnus, frères et sœurs aujourd'hui oubliés que Je t'ai donnés pour compagnons de chemin. Par leur prière rejoignant la mienne, par leur assistance morale et spirituelle, technique et matérielle, ils t'ont beaucoup aidé et c'est Moi qui au temps opportun, te les ai donnés.

En rejoignant mes élans de reconnaissance pour ce que tu souffres comme pour tout ce que tu fais, tu te mets dans l'axe de la plus grande abondance de nos bienfaits spirituels, et tu obtiens toutes les grâces de courage et de patience dont tu as besoin.

PRIE DAVANTAGE MARIE

Si tu savais comme il est beau, le sourire de Notre-Dame !
Si tu pouvais le voir, ne serait-ce qu'un instant, toute ta
vie en serait illuminée ! C'est un sourire de bonté, de tendresse, d'accueil, de miséricorde, en un mot d'amour. Ce
que tu ne peux voir des yeux du corps, tu peux le percevoir
des yeux de l'âme par la foi.

Demande souvent au Saint-Esprit de le faire jaillir dans
ta pensée, ce sourire ineffable qui est comme l'expression
de la toute aimante et de l'Immaculée. Son sourire suffit
à guérir les peines et à panser les plaies. Il exerce une influence pénétrante dans les cœurs les plus fermés et projette
une lumière indicible dans les esprits les plus enténébrés.

Contemple ce sourire dans tous les mystères de sa vie.
Contemple-le dans la joie du ciel, en union avec les bienheureux qui y trouvent l'une des sources les plus abon-
dantes d'allégresse.

Contemple-le par la foi, car elle est près de toi. Vois-la
te regardant. Regarde-la te souriant. Elle t'aidera par son
sourire, car son sourire maternel est une lumière, une force
et une fontaine vivante de charité.

Toi-même, souris-lui de ton mieux. Laisse-Moi lui sourire
par toi. Communie à mon sourire pour elle.

★

Confie-toi à elle. Sois de plus en plus délicat envers elle. Tu sais ce qu'elle a été pour toi dans ton enfance et dans ta vie sacerdotale.

Elle sera là dans ta vie finissante et à l'heure de ta mort ; elle viendra elle-même te chercher et te présenter à Moi, elle qui est par exellence Notre-Dame de la Présentation.

★

Communie souvent aux sentiments du cœur de Marie. Exprime à ta manière ce que tu éprouves.

★

Il y a une manière qui t'est personnelle et incommunicable d'interpréter les dispositions de l'âme de ma Mère. Elles deviennent vraiment tiennes sans cesser d'être siennes. En réalité, c'est le même Esprit qui inspire, anime, amplifie et tu sers simplement d'accompagnement à la mélodie unique et ineffable qui jaillit du cœur de ma Mère.

Viens te réfugier auprès de Notre-Dame. Elle saura mieux que personne caresser ton front et faire valoir ta lassitude. Elle t'aidera par sa présence maternelle à monter lentement à ma suite le long de mon chemin de Croix.

★

Tu entendras sans doute son appel trois fois répété :

Pénitence, pénitence, pénitence, mais c'est en vue d'une transfiguration spirituelle plus resplendissante. *Per crucem ad lucem.*

★

Surtout, tiens-toi en paix, ne force pas ton talent. Communie de ton mieux, en union avec elle, à la grâce du moment présent, et ta vie, si obscure soit-elle aux yeux de beaucoup, sera féconde pour le profit d'une multitude.

★

Ne manque pas de te mettre souvent sous l'influence conjuguée de l'Esprit Saint et de Notre-Dame et demande-leur que ton amour augmente !

★

Communie à mes sentiments à l'égard de ma Mère, sentiments faits de délicatesse, de tendresse, de respect, d'admiration, de confiance totale et de reconnaissance éperdue.

Si elle n'avait pas accepté d'être ce qu'elle a été, qu'aurais-je pu faire pour vous ? Elle est vraiment la projection fidèle dans la Création de la bonté maternelle de Dieu. Elle est telle que Nous l'avons conçue, telle que Nous pouvions la désirer. Si tu savais combien toutes ses initiatives sont charmantes. Elle est comme le charme de Dieu fait femme.

★

Unis-toi à Moi pour lui parler, lui demander secours pour toi et pour les autres, pour l'Eglise, pour la croissance de mon corps mystique.

Pense à son bonheur dans la gloire du Ciel où elle n'oublie aucun de ses enfants de la terre.

Pense à la royauté maternelle de Marie. Sa royauté toute spirituelle, elle l'exerce pour chacun des hommes sur la terre — mais elle n'est efficace que dans la mesure où elle est vitalement acceptée.

★

Je ne fais de miracles que là où l'on suit ses directives comme à Cana : « *Faites bien tout ce qu'il vous dira.* »

Dans la mesure où l'on est fidèle à son influence et à ses appels, on entend ma voix et on peut faire ce que Je demande. C'est ainsi que nous ne cessons de travailler ensemble pour que tous les hommes collaborent à répandre un peu plus d'amour vrai sur la terre.

Marie t'aidera à ne jamais oublier l'Unique Nécessaire, à ne pas t'encombrer d'inutilités, à ne pas confondre l'accessoire avec l'important, à savoir faire les options fécondes. Elle est toujours là, prête à t'aider, à t'obtenir par son intercession joie et fécondité pour les dernières années de ton passage ici-bas. Mais elle pourra d'autant plus le faire que tu auras davantage confiance en sa tendresse et en sa puissance.

Vis dans l'action de grâce à son égard. Quand tu Me remercies, unis-toi à son *Magnificat* qu'elle ne cesse de chanter de toutes les fibres de son cœur et qu'elle voudrait prolonger en tous les cœurs de ses fils de la terre.

Demande de plus en plus cette foi claire, lumineuse et chaude qu'elle t'a obtenue mais qui doit grandir jusqu'au moment de notre rencontre.

Pense à cet instant où tu la verras dans l'éclat de sa gloire éternelle. Combien tu te reprocheras de ne pas l'avoir assez aimée et filialement entourée !

Parce qu'elle s'est donnée tout entière, sans délai, sans réserve, sans reprise, Je Me suis donné tout entier à elle et elle a pu Me donner au monde.

★

L'Incarnation, ce n'est pas seulement l'insertion du divin dans l'humain, c'est l'assomption de l'humain par le divin.

En Marie, s'est vérifiée de façon glorieuse l'assomption de son humanité par ma divinité. Il convenait que corps et âme, elle soit assumée par Moi dans une joie qui compensait infiniment ses douleurs généreusement offertes en esprit de collaboration à mon œuvre rédemptrice.

Dans la lumière divine, elle voit tous les besoins spirituels de ses enfants — elle voudrait aider tant d'aveugles à recouvrer la vue de la foi, tant de paralytiques de la volonté à retrouver l'énergie et le courage nécessaires pour se donner à Moi, tant de sourds à entendre mes appels et à y répondre de leur mieux.

Mais elle ne peut le faire que dans la mesure où se multiplient des âmes priantes, la suppliant d'intercéder pour l'humanité si souvent trébuchante.

Tu es un de ses enfants privilégiés. Agis de plus en plus à son égard en fils affectueux et dévoué !

Marie est la Toute Belle, la Toute Bonne, la Toute-Puissance suppliante. Plus tu la connaîtras, plus tu t'approcheras de Moi.

Sa dignité est unique. Ne suis-Je pas la chair de sa chair, le sang de son sang ? N'est-elle pas la projection idéale du

Père sur la créature humaine, reflet de la beauté et de la bonté divines ?

Viens à elle plus filialement, avec une immense confiance.

Demande-lui tout ce que tu ressens de besoin pour toi et pour le monde, depuis la paix dans les cœurs, dans les foyers, entre les hommes, entre les nations, jusqu'au soutien maternel pour les pauvres, les infirmes, les malades, les blessés, les mourants.

Confie à son influence miséricordieuse les pécheurs que tu connais ou dont tu entends parler.

Fais-toi une âme d'enfant à son égard. Serre-toi contre elle, blottis-toi auprès d'elle. Il y a tant de grâces que tu pourrais obtenir plus facilement pour toi, pour ton travail et pour le monde si tu la priais plus souvent et si tu t'efforçais davantage de vivre sous son influence !

★

Il y a des approfondissements dans la vie intérieure qui sont la conséquence des rayons que Je fais émettre de ma Mère et dont seuls bénéficient ceux qui sont fidèles à recourir à elle.

Beaucoup d'âmes à l'heure actuelle se laissent aller dans des impasses ou des voies de traverses vers des marécages où leur vie devient stérile, parce qu'ils n'ont pas eu assez recours à l'aide si puissante et si providentielle de Marie. Ils croient — les malheureux — pouvoir se passer d'elle, comme si un enfant pouvait sans inconvénient se priver de la sollicitude maternelle. Or Marie ne peut rien pour eux s'ils ne lui demandent pas d'intervenir. Liée par le respect de leur liberté, il faut que de la terre monte vers elle un pressant appel à son intercession.

Que peux-tu faire, seul, face à l'immensité de la tâche : tant d'hommes à évangéliser, tant de pécheurs à convertir, tant de prêtres à sanctifier ! Tu te sens pauvre et démuni. Demande alors en union avec ma Mère, avec intensité et persévérance. Bien des cœurs seront touchés, renouvelés, embrasés.

C'est sa mission de faciliter, de protéger, d'intensifier ton union profonde avec Moi.

Uni à elle, tu t'unis à Moi en profondeur.

C'est Marie qui continue à intercéder pour toi et à intervenir, bien plus souvent que tu ne le vois, dans tous les détails de ta vie spirituelle, de ta vie laborieuse, de ta vie souffrante, de ta vie apostolique.

L'Eglise est en crise actuellement. Cela est normal, quand ma Mère n'est plus assez invoquée par les chrétiens. Mais précisément, si toi et tous tes frères qui ont réalisé une fois dans leur vie l'importance de sa médiation, se mettaient à la prier ardemment au nom de ceux qui n'y pensent pas, cette crise se transformerait vite en apothéose.

Crois bien que ma puissance n'est pas diminuée — et je puis susciter comme aux siècles passés de grands saints et de grandes saintes qui étonneront le monde ; mais Je veux avoir besoin de votre collaboration qui permette à ma Mère, toujours aux aguets de la misère du monde, d'intervenir comme à Cana.

La spiritualisation progressive de l'humanité ne se fait pas sans à-coups, sans brisure parfois. Pourtant mon Esprit est là toujours. Mais par pédagogie, par souci de votre apport humain, si minime soit-il, Il ne peut exercer son influence qu'en conjugaison avec son Epouse, votre Mère, Marie.

★

C'est demain la fête par exellence de notre Mère, la mienne et la tienne et celle du genre humain tout entier.

213

Contemple-la intérieurement dans son ineffable beauté d'Immaculée disant toujours OUI aux volontés du Père et de Transfigurée dans la gloire de son Assomption.

Contemple-la dans la Bonté profonde, essentielle, existentielle de sa Maternité divine et humaine, de sa Maternité universelle.

Contemple-la dans sa Toute-Puissance Suppliante qui postule ton appel et celui de tous les hommes à son intercession.

Contemple-la dans son intimité exquise et délicate avec les trois Personnes de la Sainte Trinité : fille parfaite du Père, épouse fidèle de l'Esprit Saint, mère dévouée du Verbe Incarné jusqu'au total oubli d'elle-même.

C'est Elle qui l'a conduit à Moi. C'est Elle qui t'a présenté à Moi — comme c'est Elle qui n'a cessé tout au long de ta vie de te protéger et qui au jour béni de ta mort t'offrira à Moi dans la lumière de gloire.

CE QUE J'ATTENDS
DE CEUX QUE J'AI CHOISIS

Comme je voudrais que prêtres et religieuses ne cherchent pas en dehors de Moi le secret de la seule véritable et profonde fécondité !

En Moi est la puissance. Coulez-vous en MOI et je vous ferai participer à cette puissance.

En peu de mots, vous projetterez la lumière.

En peu de gestes, vous ouvrirez les routes à ma grâce.

En peu de sacrifices, vous serez le sel qui assainit le monde.

En peu de prières, vous serez le levain qui soulève la pâte humaine.

Je t'ai donné une grâce spéciale pour encourager mes prêtres à trouver dans le contact intime avec Moi le secret d'un sacerdoce heureux et fécond. Offre-les Moi souvent et unis-toi à ma prière pour eux. C'est d'eux que dépend en grande partie la vitalité de mon Eglise sur terre et la mise en valeur de mon Eglise du ciel en faveur de l'humanité pérégrinante.

Le monde passe sans prendre la peine de M'entendre ; voilà pourquoi il y a tant de vies titubantes et gâchées.

Mais ce qu'il y a de plus douloureux à mon Cœur et de

plus néfaste pour mon Royaume, c'est que les consacrés eux-mêmes par manque de foi, par manque d'amour, n'ont pas l'oreille tendue vers MOI. Ma voix se perd dans le désert. Que de vies sacerdotales et religieuses sont ainsi rendues improductives !

Que le prêtre se méfie de tous les compliments et des marques de respect dont il est l'objet. L'encens est le plus subtil des poisons pour un homme d'Eglise. C'est un excitant éphémère comme beaucoup de stupéfiants et on risque au bout d'un certain temps d'en être intoxiqué.

Que de prêtres aigris, amers, découragés parce qu'ils n'ont pas su se situer dans le plan de la rédemption ! Je suis tout prêt à les purifier et à les réaxer s'ils veulent bien être souples à l'action de mon Esprit. A toi de Me les présenter, de les offrir fraternellement aux rayons de mon amour. Pense aux jeunes prêtres — pleins d'ardeur apostolique et de zèle débordant — qui croient pouvoir réformer l'Eglise sans commencer par se réformer eux-mêmes.

Pense aux intellectuels si utiles, si nécessaires même à condition que très humblement, ils poursuivent études et recherches pour servir, sans mépriser personne.

Pense aux prêtres d'âge mûr, qui croient être en possession de tous leurs moyens et sont si facilement enclins à se passer de Moi.

Pense aux confrères vieillissants, en butte aux incompréhensions des jeunes, se sentant dépassés et souvent mis de côté. Ils sont par excellence à la période féconde de leur vie où le dépouillement s'opère et les sanctifie dans la mesure où ils l'acceptent avec amour.

Pense à tes frères mourants ; obtiens-leur la confiance, l'abandon à ma miséricorde. Leurs fautes, leurs erreurs, leurs bévues sont depuis longtemps effacées. Je ne Me souviens que de l'élan de leur donation première, des efforts, des fatigues, des lassitudes qu'ils ont acceptés, pour Moi.

J'ai besoin de prêtres dont toute la vie soit l'expression concrète de ma prière, de ma louange, de mon humilité, de ma charité.

J'ai besoin de prêtres qui délicatement et avec un infini respect se préoccupent de sculpter jour après jour ma divine effigie sur le visage de ceux que Je leur confie.

J'ai besoin de prêtres donnés avant tout aux réalités surnaturelles pour en animer toute la vie réelle de l'homme d'aujourd'hui.

J'ai besoin de prêtres qui soient des professionnels du spirituel et non des fonctionnaires ou des fanfarons — des prêtres doux, bienveillants, patients, ayant avant tout l'esprit de service et ne confondant jamais l'autorité avec l'autoritarisme ; en un mot, des prêtres profondément aimants, ne cherchant qu'une seule chose, n'ayant qu'un seul but : que l'amour soit davantage aimé.

Ne crois-tu pas que Je puis en quelques minutes te faire

gagner des heures dans ton travail et des âmes dans ton activité ? Voilà ce qu'il faut dire au monde, surtout au monde des prêtres dont la fécondité spirituelle ne saurait se mesurer à l'intensité de leur désir de produire mais à la disponibilité de leur âme à l'action de mon Esprit.

Ce qui compte à mes yeux, ce n'est pas lire beaucoup, parler beaucoup, faire beaucoup, c'est Me permettre d'agir par vous.

Sois certain que si J'occupe dans une vie de prêtre, dans un cœur de prêtre, dans une prière de prêtre toute la place que Je désire, alors il trouvera son équilibre, son épanouissement, la plénitude de sa paternité spirituelle.

Combien c'est grand et redoutable, une âme de prêtre ! Un prêtre peut tellement Me continuer et attirer vers Moi — ou bien, hélas !, décevoir et éloigner de Moi, quelquefois en voulant attirer vers lui.

Un prêtre sans amour est un corps sans âme. Plus que tout autre, le prêtre doit être livré à mon Esprit, se laisser conduire et agir par lui.

Pense aux prêtres tombés dont beaucoup ont tant d'excuses : manque de formation, manque d'ascèse, manque de soutien fraternel et paternel, mauvaise utilisation de leurs possibilités d'où déception, découragement, tentations et la suite... Ils n'ont guère été heureux — et que de fois, ils ont éprouvé la nostalgie du divin ! Ne crois-tu pas que J'ai dans mon cœur plus de puissance de pardon qu'ils n'ont eu puissance de péché ! Prends-les fraternellement dans ta pensée et ta prière. C'est à travers eux aussi, où tout n'est pas mauvais, que J'opère la rédemption du monde.

Vois-Moi en chacun — parfois meurtri, défiguré — mais adore ce qu'il y a de Moi en eux et tu feras revivre ma Résurrection en tous.

Il n'y a au fond qu'une seule catégorie de prêtres qui M'attriste vraiment. Ce sont ceux qui par progressive déformation professionnelle sont devenus orgueilleux et durs. Volonté de puissance, affirmation de leur « moi » ont peu à peu vidé leur âme de cette charité profonde qui devrait inspirer toutes leurs attitudes et toutes leurs démarches.

Le mal que fait un prêtre dur ! Le bien que fait un prêtre bon ! Répare pour les premiers. Soutiens les seconds.

Je pardonne beaucoup de choses au prêtre qui est bon. Je Me retire du prêtre qui s'est durci. Il n'y a pas de place pour Moi en lui. J'y étouffe.

Le bruit intérieur et extérieur empêche beaucoup d'hommes d'entendre ma voix — et de comprendre le sens de mes appels. C'est pourquoi il importe que dans ce monde suractivé et surexcité se multiplient des îlots de silence et de calme, où les hommes puissent Me retrouver, converser avec Moi, se donner librement à Moi.

Pour faire d'un pays une terre de chrétienté où ce qu'il y a de meilleur en l'homme puisse s'épanouir, il faut mettre ce pays en état d'oraison. Or, les maîtres d'oraison, ce sont par excellence les prêtres, dont l'influence profonde est fonction de leur intimité avec Moi.

Offre-Moi souvent les souffrances de tes frères prêtres : souffrances de l'esprit, du corps, du cœur ; unis-les aux miennes pendant ma Passion et sur la Croix pour qu'elles puisent dans leur jonction avec les miennes toute leur valeur d'apaisement et de corédemption.

★

Demande à ma Mère de t'aider dans cette mission et penses-y spécialement à chacune des messes que tu célèbres, en union avec elle et en sa maternelle présence.

Si tu savais combien grande est ma joie de faire la tienne, et il en est ainsi de ma part pour tous les hommes. Pour le comprendre, il leur faut rencontrer des prêtres qui en aient l'expérience. Plus cette expérience est vivante, plus elle se communique et plus elle attire vers Moi.

Ne l'oublie pas. La rédemption est d'abord une œuvre d'amour avant d'être une œuvre d'organisation.

Ah ! si tous tes frères prêtres acceptaient de croire que Je les aime, que sans Moi ils ne peuvent rien faire et que cependant J'ai besoin d'eux pour passer par eux autant que mon Cœur le désire !

Je suis en chacune de ces vierges consacrées qui M'ont voué leur jeunesse et leur vie au service des Missions, au service de la mission de mon Eglise. Je suis là, charité de leurs cœurs, énergie de leurs volontés, lumière de leurs intelligences. Je suis là, Vie de leurs vies, témoin de leurs efforts, de leurs sacrifices, passant par elles pour atteindre les âmes qu'elles approcheront.

Offre-Moi ces hosties vivantes dans lesquelles Je me cache, mais dans lesquelles Je travaille, Je prie, Je désire.

Pense à ces milliers de femmes qui me sont consacrées et qui ont reçu la mission irremplaçable de continuer l'action de ma Mère dans l'Eglise, à la condition de se laisser pénétrer par Moi dans la contemplation.

Ce qui manque actuellement à mon Eglise, ce ne sont pas les dévouements, les initiatives, les entreprises, c'est la dose proportionnée de vie contemplative authentique.

L'idéal, c'est qu'il y ait dans une âme consacrée beaucoup de science en même temps que beaucoup d'amour et beaucoup d'humilité. Mais il vaut mieux un peu moins de science avec beaucoup d'amour et d'humilité que beaucoup de science avec un peu moins d'amour et d'humilité.

Demande-Moi souvent de susciter, dans le monde même, des âmes contemplatives qui, ayant l'esprit universel, assument la part de prière et d'expiation de bien des hommes actuellement fermés aux appels de ma grâce.

Souviens-toi : Thérèse d'Avila a contribué au salut d'autant d'âmes que François Xavier dans ses courses apostoliques et Thérèse de Lisieux a mérité d'être appelée Patronne des Missions.

Ce ne sont pas ceux qui s'agitent, ni ceux qui échafaudent des théories, qui sauvent le monde ; ce sont ceux qui, vivant intensément de mon Amour, le propagent mystérieusement sur la terre.

Je suis le Souverain Prêtre et tu n'es prêtre qu'en participation et en prolongement de mon Sacerdoce. En M'incarnant dans le sein de ma Mère, ma Personne divine a assumé la nature humaine et J'ai ainsi récapitulé en Moi tous les besoins spirituels de l'humanité.

Tous les hommes peuvent et doivent être ainsi insérés dans ce mouvement de sacralisation, mais le prêtre est le spécialiste, le professionnel du sacré. Même quand il travaille, fût-ce de ses mains, rien en lui n'est profane. Mais s'il le fait en conscience lucide de son appartenance à Moi, si au moins virtuellement, il l'accomplit pour Moi et en union avec Moi, alors Je suis en lui, Je travaille avec lui à la gloire de mon Père, au service de ses frères. Il devient mon possédé, mon *alter ego* et J'attire Moi-même en lui vers mon Père les hommes qu'il approche.

★

Partage mes soucis pour mon Eglise et particulièrement pour mes prêtres. Ils sont mes « bien-aimés » — même ceux qui sous l'effet de la tempête Me lâchent pour un temps. J'ai grande pitié d'eux et des âmes qui leur étaient confiées — mais ma miséricorde à leur égard est inépuisable, si sous l'influence des prières et des sacrifices de leurs frères, ils se jettent dans mes bras.. Leur ordination les a marqués d'une façon indélébile, et même s'ils ne peuvent plus assurer un sacerdoce ministériel, leur vie peut, en rejoignant mon oblation rédemptrice, être une offrande d'amour dont Je Me servirai.

Profite du temps que Je te laisse sur cette terre, seule phase de ton existence où tu peux mériter, pour demander intensément que se multiplient des âmes contemplatives, des âmes mystiques. Ce sont elles qui sauvent le monde et qui obtiennent à l'Eglise la rénovation spirituelle dont elle a besoin.

En ce moment, des pseudo-théologiens lancent à tous vents leurs élucubrations intellectuelles, croyant purifier la foi alors qu'ils ne font que la troubler.

Seuls ceux qui M'ont rencontré dans la prière silencieuse, dans la lecture humble de l'Ecriture Sainte, dans l'union avec Moi en profondeur, peuvent parler de Moi avec compétence, car c'est Moi-même qui alors inspire leurs pensées et parle par leurs lèvres.

★

Le monde va mal. Même mon Eglise est divisée ; mon corps en souffre. Des grâces de vocations sont étouffées et meurent. Satan est déchaîné. Comme après chaque Concile dans l'histoire de l'Eglise, il sème partout la discorde, il aveugle les esprits aux réalités spirituelles, il endurcit les cœurs aux appels de mon amour.

★

Il faut que les prêtres et tous les consacrés réagissent en offrant toutes les souffrances, toutes les agonies de l'humanité en jonction avec les miennes *pro mundi vita*.

Ah ! si les hommes comprenaient que Je suis la source de toutes les vertus, la source de toute sainteté, la source du véritable bonheur !

Qui peut mieux le leur révéler que mes prêtres, à la condition qu'ils acceptent d'être mes amis intimes et de vivre en conséquence. Cela demande apparemment quelques sacrifices, vite compensés par la fécondité et la joie sereine qui les envahit.

Il faut accepter de me donner le temps que Je demande. Où a-t-on vu que la fidélité à Me consacrer une journée en exclusivité ait jamais compromis le ministère ?

On ne sait plus faire pénitence, et c'est pourquoi il y a si peu d'éducateurs spirituels et si peu d'âmes contemplatives.

Autant Je suis contre le dolorisme et l'esprit victimal, autant Je désire que l'on n'ait pas peur de la frustration passagère que provoque le petit sacrifice ou la légère privation voulue ou acceptée par amour.

Ma parole est toujours vraie : *Si vous ne faites pénitence, vous périrez tous.* Mais, si vous êtes généreux, attentifs à ce que mon Esprit vous suggère et qui ne nuira jamais ni à votre santé, ni à votre devoir d'état, si vous êtes fidèles à rejoindre l'oblation spiritualisante que Je ne cesse d'offrir en vous, vous contribuerez à éponger bien des péchés de la foule et surtout bien des trahisons de mes consacrés ; vous obtiendrez des grâces surabondantes pour que cette période troublée d'après-Concile voie jaillir, dans tous les milieux et dans tous les continents, de nouveaux types de saints qui réapprendront au monde étonné le secret de la vraie joie.

C'est assumé par Moi, *in persona mea,* qu'à la Messe, le prêtre change le pain en mon Corps et le vin en mon Sang.

C'est assumé par Moi, *in persona mea,* qu'au confessionnal, il éponge par l'absolution les fautes du pécheur repentant.

C'est assumé par Moi, *in persona mea,* qu'il accomplit ou devrait accomplir tous les actes du ministère.

C'est assumé par Moi, *in persona mea,* qu'il pense, qu'il parle, qu'il prie, qu'il se nourrit, qu'il se détend.

Le prêtre ne s'appartient plus, il s'est donné à Moi librement corps et âme pour toujours. C'est pourquoi il ne saurait être tout à fait comme les autres hommes. Il est *dans*

le monde, mais il n'est plus *du* monde. A un titre spécial et unique, il est de Moi.

Il doit s'efforcer de s'identifier à Moi par la communion de pensée et de cœur, par le partage des soucis et des désirs, par une intimité sans cesse grandissante.

Il doit tendre à exprimer par son comportement quelque chose de mon immense respect à l'égard de mon Père et de ma bonté inépuisable à l'égard de tous les hommes, quels qu'ils soient.

Il doit renouveler sans cesse le don de tout lui-même à Moi pour que je sois en Lui pleinement ce que Je désire.

Tant d'âmes se laissent intoxiquer par le plaisir fallacieux ou l'idéologie enivrante, qu'elles sont comme enfermées sur elles-mêmes et qu'elles deviennent incapables d'une démarche loyale vers Moi. Pourtant, Je les appelle mais elles n'entendent pas. Je les attire, mais elles se sont rendues imperméables à mon influence.

C'est ici que J'ai un urgent besoin des consacrés. Ah ! s'ils pensaient à récapituler en eux toutes les misères de ce monde en folie et à M'appeler au secours au nom de tous ceux que le démon tient enchaînés, ma grâce pourrait vaincre plus facilement bien des résistances.

Les consacrés sont le sel de la terre. Lorsque le sel ne sale plus, à quoi peut-il servir ?

Quand Je les ai appelés, ils ont dit OUI généreusement et cela Je ne l'oublierai jamais. Mais de petites défaillances ont dans la suite occasionné de plus importantes résistances à ma grâce, sous le prétexte parfois d'une urgence dans l'accomplissement du devoir d'état.

S'ils avaient été fidèles à leurs *temps forts* d'oraison, l'intimité avec Moi aurait été sauvegardée et leurs activités apostoliques, loin d'en souffrir, n'en auraient été que plus fécondes.

Heureusement qu'il y a encore de par le monde et dans le monde même beaucoup d'âmes fidèles. Ce sont elles qui retardent, sinon empêchent les grandes catastrophes qui ne cessent de menacer l'humanité.

★

Demande que soient de plus en plus nombreux les éducateurs et les éducatrices spirituels. C'est ce qui a permis le redressement de l'Eglise après les épreuves de la Réforme au XVIIeme siècle — et après le bouleversement de la Révolution. C'est aussi ce qui dans les années à venir facilitera un nouveau printemps de la communauté chrétienne et préparera peu à peu, malgré l'accumulation des obstacles de tous genres, une ère de fraternité humaine et un progrès vers l'Unité.

Cela n'empêchera pas ces hommes de vivre selon leur époque, de s'intéresser aux problèmes même matériels de leur temps, mais cela leur donnera lumière et puissance pour agir sur l'opinion publique de leurs contemporains et travailler à des solutions bénéfiques.

C'est à tous que Je lance l'invitation à venir à Moi, mais J'ai voulu avoir besoin des hommes pour faire entendre mon appel. Mon attirance doit passer par le reflet de mon visage dans l'âme de mes membres, particulièrement des consacrés.

C'est à travers leur bonté, leur humilité, leur douceur, leur accueil, le rayonnement de leur joie, que je veux Me révéler.

Les paroles, oui, c'est nécessaire, les structures, c'est utile, mais ce qui touche les cœurs, c'est ma Présence perçue et comme sentie à travers un des miens. Il y a, émanant de Moi, un rayonnement qui ne trompe pas.

C'est là ce que J'attends de plus en plus de toi.

A force de Me regarder, de Me contempler, mes radiations divines te pénètrent, t'imprègnent sans que tu aies besoin de dire un mot — et quand l'occasion se présente, tes paroles sont chargées de ma lumière et deviennent efficaces.

Mon Amour pour les hommes n'est pas aimé. Il est tellement et si souvent oublié, méconnu, repoussé ! De telles opacités empêchent les esprits de s'ouvrir à la lumière et les cœurs à ma tendresse.

Heureusement qu'il y a des âmes humbles et généreuses

dans tous les pays, dans tous les milieux de vie et de tous les âges, dont l'amour répare pour mille blasphèmes, pour mille refus.

★

Le prêtre doit être la première hostie de son sacerdoce. L'offrande de lui-même doit rejoindre la mienne au profit de la multitude. Chaque dérobade constitue un manque à gagner pour beaucoup d'âmes. Chaque acceptation avec patience et amour vaut immédiatement un gain précieux pour ma croissance d'amour en ce monde.

Confiance dans ma puissance qui éclate dans ta faiblesse, que Je transforme en courage et en générosité.

J'aime bien te voir passer une heure avec Moi vivant dans l'hostie, mais ne viens jamais seul : récapitule en toi toutes les âmes que mystérieusement, J'ai liées à la tienne et humblement, fais-toi canal de mes radiations divines.

Rien n'est inutile des moindres sacrifices, des moindres activités, des moindres souffrances quand elles sont vécues en état d'oblation.

Sois de plus en plus l'hostie de ton Sacerdoce. Un sacerdoce qui ne comporte pas l'oblation du prêtre est un sacerdoce tronqué. Il risque d'être stérile et de gêner l'œuvre de ma rédemption.

Le prêtre est d'autant plus spiritualisateur qu'il accepte d'être corédempteur.

**REGARDE LA MORT
AVEC CONFIANCE**

D'autres ont prêché les terreurs de la mort. Toi, prêche les joies de la mort.

« *Je viendrai à vous comme un voleur* ». J'ai dit cela non pas pour vous effrayer, mais par amour, pour que vous soyez toujours prêts, et que vous viviez chaque instant comme vous voudriez l'avoir vécu au moment de votre naissance à la vie définitive.

Si les hommes voyaient davantage leur vie dans le rétroviseur de la mort, ils lui donneraient son véritable sens.

C'est pourquoi il ne faut pas qu'ils envisagent la mort avec effroi, mais avec confiance et qu'ils comprennent ainsi tout le prix de la phase méritoire de leur existence.

Vis sur terre comme si tu revenais du ciel. Sois ici-bas l'homme qui rentre de l'au-delà. Tu es un mort en sursis. Il y a longtemps que tu aurais dû entrer dans l'éternité, et qui parlerait de toi sur terre à l'heure actuelle ?

★

Je te laisse encore quelques années terrestres pour que tu y mènes une vie imprégnée de nostalgie céleste, où l'on sente filtrer une lueur de chez nous.

Ne t'ai-je point donné maintes fois des témoignages de ma sollicitude ? Alors que crains-tu ? Je suis là toujours et toujours Je suis près de toi, même au moment où tout semble craquer, même et surtout au moment de la mort. Tu verras alors ce que sont mes deux bras qui se refermeront sur toi et te serreront sur mon cœur. Tu découvriras à quoi et pour qui auront servi tes travaux, tes souffrances. Tu Me remercieras de t'avoir conduit comme je l'ai fait, te préservant bien souvent de nombreux dangers d'ordre physique ou moral, te menant par des chemins imprévus, parfois déroutants, mais faisant de ta vie une unité profonde dans le service de tes frères.

Tu Me remercieras, comprenant mieux la conduite de ton Dieu à ton égard et à l'égard des autres. Ton chant d'action de grâces ne cessera de grandir au fur à mesure que tu découvriras les miséricordes du Seigneur sur toi et sur le monde.

Il n'y a pas de rémission sans effusion de sang. Mon sang ne peut remplir sa précieuse mission d'expiation efficace que dans la mesure où l'humanité accepte de mêler avec amour des gouttelettes de son sang au sang de ma Passion.

★

Offre-Moi souvent la mort des hommes pour qu'ils vivent de ma Vie.

Comme si tu arrivais au ciel, prie, dis-Moi bonjour, aime, agis et réjouis-toi.

Pense à ce que sera notre rencontre dans la lumière. C'est pour cela que tu as été créé, que tu as travaillé, que tu as souffert. Un jour viendra où Je te cueillerai à ton tour. Penses-y souvent et offre-Moi d'avance l'heure de ta mort en l'unissant à la mienne.

Pense souvent aussi à ce que sera l'après-mort, la joie sans fin d'une âme irradiée de lumière et d'amour, vivant en plénitude l'élan oblationnel de tout son être par Moi vers le Père et recevant par Moi venant du Père toute la richesse de la jouvence divine.

Oui, regarde la mort avec confiance et profite de ta fin de vie pour t'y préparer avec amour.

Pense à la mort de tous tes frères humains, 300 000 par jour. Quelle puissance de corédemption cela représente si c'était offert ! Ne l'oublie pas : *oportet sacerdotem offerre.* A toi d'offrir au nom de ceux qui n'y pensent pas. C'est une des façons les plus efficaces de mettre en valeur mon sacrifice du Calvaire et d'enrichir ta messe quotidienne.

Il y en a tant qui ne se doutent pas que Je vais les appeler ce soir, tant d'accidents de la route, tant de thromboses brutales, tant de causes imprévues. Il y a aussi tant de malades qui ne se doutent pas de la gravité de leur état.

Endors-toi dans mes bras le soir. C'est comme cela que tu mourras et que tu arriveras au paradis, au moment de la grande Rencontre.

Fais toutes choses en pensant à ce moment-là. Cela t'aidera en bien des circonstances à garder ta sérénité sans empêcher ton dynamisme.

C'est par amour pour toi que J'ai accepté de mourir. Tu ne peux me donner de plus grande preuve d'amour que d'accepter de mourir en union avec Moi.

Tu ne seras pas déçu. Ebloui par les splendeurs exaltantes que tu découvriras, tu n'auras qu'un seul regret, celui de n'avoir pas assez aimé.

★

Continue à unir souvent ta mort à la mienne et à l'offrir au Père par les mains de Marie, sous l'influence de l'Esprit Saint.

Au nom de ta mort unie à la mienne, tu peux aussi demander des secours immédiats pour mieux vivre actuellement dans la ligne de la charité divine. Il n'est rien que tu ne puisses obtenir ainsi. Profites-en donc.

Que ton cœur soit de plus en plus ouvert à ma miséricorde, humblement confiant en ma tendresse divine qui t'enveloppe de toutes parts et qui féconde invisiblement tes activités les plus ordinaires en leur donnant une valeur spirituelle qui transcende la durée.

A quoi sert de vivre si ce n'est pour grandir en amour ?
A quoi sert de mourir si ce n'est pour épanouir éternellement son amour et s'épanouir en lui pour toujours ?

★

Mon cher enfant, Je t'ai fait pressentir quelque chose de ce que pouvait être la fête du ciel, et ce que tu en as perçu bien faiblement n'est rien à côté de la réalité. Tu verras à ce moment-là à quel point J'ai été et Je suis un Dieu tendre et aimant. Tu comprendras pourquoi Je tiens tant à ce que les hommes s'entraiment, se pardonnent et s'entraident. Tu saisiras le pourquoi spiritualisateur et purificateur de la patience et de la souffrance.

Ta découverte incessante des profondeurs divines sera

une exquise et passionnante aventure. Ton imprégnation de ma divinité te transfigurera et te fera voir tous tes frères transfigurés eux aussi dans une action de grâces commune et exaltante.

Crois bien que les fêtes liturgiques de la terre, qui ont de multiples raisons d'être, ne sont que la préfiguration des festivités éternelles qui ne lassent pas et tiennent l'âme à la fois rassasiée et sans cesse altérée.

C'est par ma mort que J'ai vivifié le monde. C'est toujours par l'oblation de ma mort que Je puis continuer à donner la vie aux hommes. Mais il me faut un surcroît de morts pour vaincre, sans nuire à leur liberté, les hésitations, les réticences, les résistances de ceux qui ne veulent pas entendre mon appel ou qui l'ayant entendu ne veulent pas Me laisser pénétrer chez eux.

Le Ciel, c'est Moi ! C'est dans la mesure où, selon votre degré de charité, vous pourrez être assumés par moi, que vous goûterez la joie infinie et que vous recevrez du Père toute lumière et toute gloire !

Alors il n'y aura plus ni pleurs, ni souffrance, ni ignorance, ni malentendu, ni jalousie, ni méprise, ni mesquinerie, mais action de grâces filiale à l'égard de la Sainte Trinité et action de grâces fraternelle les uns à l'égard des autres.

Certes vous vous souviendrez des moindres événements de votre vie terrestre, mais vous les verrez dans la synthèse de l'amour qui les aura permis, transfigurés, purifiés.

Combien grande et joyeuse sera votre humilité, qui vous rendra transparents comme le cristal à tous les reflets de la miséricorde divine.

Oui, vous vibrerez à l'unisson de mon Cœur et en harmonie les uns avec les autres, vous reconnaissant bienfaiteurs mutuels et contemplant la petite part de causalité que Je vous aurai Moi-même fournie pour le bonheur de tous.

Oui, tu auras une mort joyeuse, rapide et aimante. Passer n'est pas long pour celui qui expire dans un acte d'amour et Me rejoint dans la Lumière. Fais-Moi confiance. Comme Je fus là à tous les moments de ta vie sur terre, Je serai là au moment de ton entrée dans la Vie éternelle, et ma Mère, qui s'est montrée tellement bonne pour toi, sera présente, elle aussi, toute douceur, toute Maman.

Penses-tu aussi souvent que tu le devrais à tes compagnons du purgatoire qui ne peuvent obtenir leur progressive incandescence lumineuse par leurs propres moyens. Ils ont besoin qu'un de leurs frères de la terre mérite ce qu'ils auraient obtenu s'ils avaient accompli eux-mêmes avant leur mort le choix d'amour que tu fais en leur nom ?

C'est là l'intérêt de ton maintien ici-bas et de la prolongation de la vie humaine. Si les vieillards étaient mieux instruits de leur puissance et des répercussions de leurs petites oblations méritoires en faveur de leurs frères du monde et de leurs frères de l'au-delà, ils comprendraient mieux le prix de leurs dernières années où ils peuvent, dans la paix et la sérénité, obtenir tant de grâces et en même temps se valoir pour eux-mêmes un tel surcroît de lumière et de joie éternelles.

La mort leur serait plus douce car Je promets une grâce spéciale d'assistance à ce grand moment pour tous ceux qui auront vécu pour les autres avant de vivre pour eux. N'est-ce point en cela que consiste l'amour ? N'est-ce point en cela, par des petits sacrifices, que l'on se prépare à mourir en aimant ?

Je connais l'heure de ta mort et la manière dont elle se produira, mais dis-toi bien que c'est Moi qui l'ai choisie pour toi, avec tout mon amour, pour donner à ta vie terrestre son maximum de fécondité spirituelle. Tu seras heureux de quitter ton corps pour entrer définitivement en Moi.

A ce grand moment de ton dernier départ, tu auras avec ma présence, toute grâce nécessaire, insoupçonnable maintenant. C'est la mesure de ton amour qui te fera y coopérer en plénitude.

On meurt comme on a vécu. Si tu vis d'amour, la mort te trouvera tel et tu expireras dans un souffle d'amour.

Je suis Moi-même au bout de ta route après avoir été toute ta vie ton Compagnon de chemin. Mais toi, utilise de plus en plus le temps qui te sépare de la grande Rencontre : à chaque heure, rejoins ma prière, communie à mon oblation, coule-toi dans mes élans d'amour. Aspire fréquemment mon Esprit. Etreins-Le dans tes respirations pour revivifier les battements de ton cœur. N'est-ce point par Lui que se diffuse en toi la Charité de ton Dieu ?

Puise dans la pensée du Ciel qui t'attend la joie au milieu des souffrances et l'optimisme au milieu des troubles de l'heure présente. Prêche cet optimisme aux esprits découragés. Ce n'est pas parce que la tempête fait rage et assaille la barque de mon Eglise, qu'il faut s'affoler.

Ne suis-Je pas Celui qui demeure en elle jusqu'à la consommation des siècles ? Au lieu de se décourager, qu'on lance vers Moi les appels : Seigneur sauve-nous, nous périssons. Que l'on augmente la foi en ma présence et en ma puissance.

Alors on découvrira ma tendresse et on vérifiera ma miséricorde inépuisable.

La manière d'envisager la mort doit être pour vous une question de foi, une question de confiance, une question d'amour.

Foi ! Cette perception du ciel ne peut directement répondre à une image expérimentée et c'est pourquoi elle dépasse toute impression sensible. C'est ce qui vous vaut la possibilité de mériter durant la phase terrestre de votre existence — car où serait le mérite si vous pouviez tout connaître dès à présent ? Il faut un temps pour chaque chose.

Confiance ! car ce que vous ne savez pas par une expérience directe, vous pouvez le connaître en vous appuyant sur ma parole et en vous fiant à Moi. Je ne vous ai jamais trompés et J'en suis incapable. Je suis la Voie, la Vérité et la Vie. Tout ce que Je puis dire, c'est que ce sera encore plus beau que vous ne pouvez le concevoir et même le désirer.

Amour ! C'est l'amour seul qui vous permet, non pas de voir, mais de pressentir ce que Je vous réserve — et cela d'autant plus que sur terre, vous aurez peiné, vous aurez souffert.

C'est si beau, la lumière de gloire. C'est si enthousiasmant la participation à notre joie trinitaire. C'est si « au-delà de tout qualificatif », la flamme d'amour dont vous serez incandescents pour cette communion totale dans une charité universelle et définitive. Si vous pouviez en avoir sur terre la perception sensible et durable, votre vie deviendrait impossible et comment pourrais-Je recourir à votre libre collaboration, si minime soit-elle, pour travailler avec Moi à la rédemption et à la spiritualisation progressive de l'humanité tout entière destinée à être assumée par Moi ?

Si ceux qui sont sur le point de mourir pouvaient voir le torrent de bonheur qui peut les envahir d'un moment à l'autre, non seulement ils n'auraient pas peur, mais avec quel élan ils voudraient Me rejoindre !

Tu as beaucoup pensé à ton après-mort ces jours-ci, et sans pour cela négliger ta tâche terrestre, n'as-tu pas observé que la pensée de l'au-delà lui donne sa véritable dimension au regard de l'éternité ?

Il en est de même pour les petites souffrances, les déceptions et les contrariétés. *Quid hoc ad æternitatem ?* C'est au milieu de ces petites et grandes douleurs que mon œuvre universelle de rédemption s'opère, jour après jour, sans que vous vous en doutiez.

Vis déjà par la pensée et par le désir ton après-mort. C'est la meilleure pierre de touche du réel.

★

La mort, tu le sais bien, sera moins un départ qu'une arrivée, avec plus de retrouvailles que de séparations. Ce sera Me trouver dans la lumière de ma Beauté, dans le feu de ma Tendresse, dans l'ardeur de ma Reconnaissance.

Ce sera Me voir tel que Je suis et te laisser pleinement absorber en Moi pour être à ta place dans la demeure trinitaire.

Alors tu salueras Notre-Dame pleine de gloire. Tu verras à quel point elle est avec le Seigneur et comme le Seigneur est avec elle.

Tu lui diras ta reconnaissance éperdue pour sa conduite maternelle à ton égard.

Tu pourras t'unir à tes amis du Ciel, depuis ton ange gardien jusqu'à tous tes amis de la terre, incandescents d'amour et lumineux de joie sans mélange.

Tu retrouveras tes fils et tes filles selon l'Esprit, et en même temps, tu te réjouiras de ce que tu dois à chacun des membres les plus infimes comme les plus importants de mon Corps glorieux.

Quand viendra l'heure de notre Rencontre, tu comprendras à quel point est précieuse pour mon Cœur la mort de mes serviteurs quand elle s'unit à la mienne.

Elle est le grand moyen de vivifier l'humanité rebelle et de travailler à la spiritualisation du monde.

DERNIER ENTRETIEN

L'été 1970 s'achève.

Le 22 septembre au soir, le Père écrit dans son carnet les lignes ci-après. Puis, il tire un trait.

Il est, ce soir-là, mieux que bien d'autres soirs. Il reste un peu « en famille » après le souper, nous rassurant par son bienveillant sourire.

Il se retire enfin dans sa chambre après avoir souhaité « bonne nuit ».

Et c'est cette nuit que le Seigneur vient chercher son fidèle serviteur.

« Endors-toi le soir dans mes bras, c'est comme cela que tu mourras... », écrivait-il comme sous la dictée de Jésus le 18 octobre 1964. Cette mort sereine, sans l'ombre d'une agonie, en plein sommeil, survenant près de six ans après que ces paroles furent écrites, n'apparaît-elle pas comme un autre « signe » de la valeur du message ?

« *Si vous demeurez en Moi et que mes Paroles demeurent en vous, demandez ce que vous voudrez et vous l'aurez* » (Jn 14, 7). Ne vois-tu pas, à la rencontre de tant de signes providentiels, à quel point cette parole est vraie ?

Je suis Moi-même en toi Celui qui te mène parfois à l'encontre de tes projets apparemment les plus normaux et les plus légitimes. Combien tu as raison de Me faire confiance ! Les situations les plus compliquées se dénouent au moment opportun comme par enchantement.

Mais deux conditions sont requises :

1° demeurer en Moi

2° être aux écoutes de mes paroles.

Il faut que tu penses à Moi davantage, que tu vives pour Moi davantage, que tu Me sois davantage disponible, que tu partages tout avec Moi davantage, que tu t'identifies à Moi davantage.

Il faut d'autre part que tu perçoives la réalité de ma Présence en toi, Présence à la fois silencieuse et parlante et que tu sois aux écoutes de ce que Je te dis sans bruit de parole.

Je suis le *Verbum silens,* le Verbe silencieux, mais Je pénètre ton esprit de mes idées, et si tu es attentif, si tu es recueilli, ma clarté dissipe les ténèbres de ta pensée, qui peut alors traduire dans ton vocabulaire ce que Je veux te faire savoir.

L'intimité se resserrant entre Moi et toi, il n'est rien que tu ne puisses obtenir de ma puissance pour toi, pour tous ceux qui t'entourent, pour l'Eglise et pour le monde. C'est ainsi que le contemplatif peut féconder toute activité, qui se trouve par le fait même purifiée de toute ambiguïté et fertile en profondeur.

TABLE DES MATIÈRES

OUVRAGES D'AGNÈS RICHOMME

A l'Apostolat des Éditions, Paris
> Pour une vie plus belle
> Pour « réussir » sa vie (épuisé)
> Saint Bernard
> Saint Dominique Savio
> Sainte Geneviève

Aux Éditions S.O.S.
> Plus près de Toi
> Mamans de tous les temps
> Un ami pour chaque jour
>
> A l'écoute de saint Jean

Aux Éditions Marie-Médiatrice, Genval (Belgique)
> L'Appel de la Route (vie de sainte Julie Billiart)

Aux Éditions Saint-Paul, Paris
> En prière avec l'Église chaque jour (4 tomes)
> Dieu révèle aux hommes le bonheur

Aux Éditions du Soleil Levant, Namur (Belgique)
> Opération Charité, la vie étonnante de saint Vincent de Paul

Aux Éditions Lethielleux, Paris
> A l'écoute de Notre-Dame (épuisé)

Aux Éditions Fleurus, Paris
- dans la collection « Action féconde »:
> Contacts avec le Christ (méditations évangéliques) 4 séries

Louanges Mariales (commentaire des litanies de la sainte Vierge)

- dans la collection « Feuillets de vie spirituelle »:

Méditations sur le Pater	(épuisé)
Méditations sur l'Ave Maria	»
Méditations sur le Salve Regina	»
Le Chant de la confiance (psaume 90)	»
Les dernières paroles de Jésus	»
Le Nom qui sauve	»
Notre-Dame, notre Etoile	»
L'Appel au Saint-Esprit	»

- dans la collection « Belles Histoires et Belles Vies » (albums illustrés pour enfants):

* La Belle Vie de Notre-Dame * Anne-Marie Javouhey * Jeanne d'Arc * Sainte Thérèse de l'Enfant-Jésus * Sainte Catherine Labouré * Sainte Bernardette * Saint Bernard * Saint Louis-Marie Grignion de Montfort * Etienne Pernet et les Petites Sœurs de l'Assomption * Jean-Martin Moyë * Kateri Tekawitha la petite Iroquoise * Sainte Louise de Marillac * Sainte Rita * Sainte Jeanne-Antide Thouret * Jeanne Jugan * Notre-Dame de Fatima * Sainte Emilie de Vialar * Bienheureux Théophane Vénard * Pierre Bonhomme * Marguerite Bourgeoys * Mère Saint-Ignace * Sainte Emilie de Rodat * Le Bon Pape Jean * Sœur Rosalie * Mère Saint-Félix * Louise et Laurence Lemarchand * Ribeauvillé-Alsace * Sainte Germaine de Pibrac * Marie Rivier * Pauline Jaricot * Saint Pierre * Pionniers pour la Côte Ouest * Marie-Louise Trichet, première Fille de la Sagesse.

Aux Éditions Saint-Augustin, à Saint-Maurice (Suisse)
Marie contemplée à la lumière du Concile (épuisé)

Achevé d'imprimer le 4 octobre 1993
Saint-Paul France S.A.

Dépôt légal : octobre 1993
N° d'impression : 9-93-1035